無錫楊壽枬著

雲在山房類稿（二）

文史哲出版社印行

雲在山房類稿(二) 目錄

庚午小陽月

鉢社偶存

壺公題

鉢社偶存

無錫楊壽枬著

癸丑以來都門士大夫盛行鉢社樊樊山郭春榆易石甫諸老爲祭酒余亦時時闌入其中鉢社者取擊鉢催詩之意每月一二集每集二三課詩成付謄錄錄成送校閱試官以上課之元充之題多詠事詠物體多七絕限韻限時不限卷數才敏者每課輒七八卷廹於晷刻不暇求工然詩之佳者佇興而成如秋水芙蓉不假雕飾刻意苦吟轉不能逮余社作多不存稿迨戊辰後牙瓠輟響琴尊寂寥追念前塵不勝惘惘乃就同人所賞許者憶錄若干首合爲一卷附詩鈔之後外此取前列者尙多然往往押險韻用僻典鬥異標新味同嚼蠟矣

己巳夏日味雲自記

我聞室柳如是所居取金經語限眞韻

丈室天花夢不孤絳雲捧硯似淸娛碧闌干外雙紅豆采作傘尼一串珠

楊妃病齒圖限寒韻

香濕鮫綃唾不乾瓠犀微露怯春寒荔支虛費西川貢一騎紅塵欲笑難

女道士卞玉京小像限肴韻

舞袖飄零鈿扇抛法華七卷手親鈔靑燈古佛祇陀寺黃葉蕭蕭自打包

題達奚盈盈傳限麻韻

五雲樓閣鎖煙霞誤認朱門戚里家偷向夫人學眉黛鹿槽分種合歡花虢國第在鹿槽有合歡堂

李後主題金樓子 限覃韻

澄心萬軸走銀蟫中有蕭梁祕笈探再世玉瓢珍小印瘦金妙蹟寫瓷藍洞天清錄宋徽宗題書畫均有玉瓢御寶又周嘉胄裝潢志宋徽宗寫帖箋用瓷藍紙宋徽宗爲李後主後身

寇萊公生日 限魚韻

山棚夜讌集簪裾爭賀生辰問起居回首華堂餘燭淚綠衫上馬拜除書萊公以生辰夜宴山棚事聞於上

綠珠井 限冬韻

在白州雙角山下旁爲綠珠村飲此水者生女多美歲久湮塞自後生女美者五官必有缺陷

金谷春深鎖玉容落花香涴井華濃珊瑚敲碎明珠賤露冷銀牀碧甃封

女兒酒紹興俗生女即釀酒嫁時以伴奩 限微韻

鏡湖春暖麴波肥湖上家家抱甕歸釀得桃花好顏色莫教痕涴縷金衣

禹蹟寺 陸放翁遇故妻於寺左之沈園題釵頭鳳詞限齊韻

傷心溝水竟東西壞壁苔痕認舊題棄婦還應憐逐妾釵頭雙鳳不同棲 放翁妾爲後妻所逐見柳南詩話

洪昉思長生殿傳奇 限甘男三韻

鈿盒盟深死亦甘蛾眉殉國勝奇男美人名士應同恨驚破霓裳拍第三

漁洋感舊集 限肥巖圍韻

老輩虞山與合肥多從篋衍溯音巖青衫白髮知交淚種柳明湖已十圍

蓮花博士 陸放翁夢故友曰我爲蓮花博士鏡湖新置官也能暫代乎限陽韻

乞祠歸臥鏡湖旁別署新銜奏綠章消得花神齊下拜風裳水珮萬紅妝

柳毅井 限微韻

銀雲櫛櫛鎖瑤扉橘社蒼涼對夕暉願乞青羊爲羽衛騎龍跨鳳海天歸

明世宗出警入蹕圖 限蕭韻

警衛森嚴蹕路遙出乘鳳輦入蘭橈丹青寫取天人貌燕子龍孫十一朝

王莽染鬚鬢聘后 限先韻

新市平林兵氣纏掖庭猶是選嬋娟漸臺爭及迷樓好眉黛朝朝畫絳仙

吳泰伯祠畫輕綃美人 限江韻

揭來香徑采蘭茳梅里花開照畫幢好把紅綃題豔曲吳宮波冷玉蓮雙唐李靉遇龍女贈以紅綃歌玉波冷雙蓮曲曰此书吳宮二隊長也見青邱樂府

醋心樹 限支韻

莫恨東風結子遲一杯酹汝卽良醫石家阿醋休相笑記否紅裙涴酒時

廣寒殿 相傳卽遼蕭后梳妝臺舊址在北海瓊華島限寒韻

錦石秋花照畫闌寶奩塵黯掩青鸞蟾蜍蝕盡瑤臺月風露無聲桂殿寒蕭后嘗夢月到天中爲天狗所食

温都監女窺東坡 限齊韻

芳心脉脈逗靈犀花外雙鬟一笑低玉茗風流輸玉局牡丹春夢隔香閨用俞二姑讀牡丹亭事

項王妾塚中道德經 限微韻

玄牝功深悟道機青綾不解漢軍圍函關紫氣無人識夜夜空墳照寶衣

李和兒熓栗 限删韻

東京李和兒熓栗名聞四方紹興中宋使過之燕山各贈一握自贊曰李和兒也揮涕去

龍沙夜月夢鄉關白髮生涯土銼間應憶承平京輦事和甯門外早朝還放翁炒栗詩和甯門外早朝時

吳梅村臨春閣傳奇 限先韻集句

南部新詞託管絃電發鬢絲愁絕杜樊川甌北可憐一片秦淮月梅村會向臨春閣外圓松坪

陌上花 限寒韻

一路香塵擁繡鞍錦城歸去珮珊珊遊人爭禮金塗塔拾得花鈿帶醉看

南陽菊水即酈泉限肴韻

人家都住白雲坳日日餐英勝蕙肴何用丹砂尋葛井金庭仙館禮三茅

四川營是秦良玉屯兵處限覃韻

弓刀小隊出城南賜宴平臺酒半酣猶記孤軍屯玉壘繡旗紅照百花潭

婁妃題采樵圖 限侵韻

誰識璇閨諷諫心秧歌一例聽悲吟可憐樵舍秋風裏蘆渚波寒玉骨沉宸濠敗於樵舍妃沉江土人於百里外蘆花磯畔得其尸葬之

竇喜鵲唐竇參姪攬權人號爲竇喜鵲限蒸韻

羽毛纔假便飛騰偏占鸞臺最上層萬里邕州遷謫日幾人挾彈伺雕陵

李太白送妻往廬山訪李騰空 限東韻

丹訣曾傳紫極宮飛瓊好道亦家風李妻姓許香爐峯頂乘鸞女遲我騎鯨碧海中

薛夜來曉霞粧 限灰韻

瞳瞳朝日射銅臺照見胭脂暈玉腮花蕊丰姿同絕豔霞衣紅簇醉粧來霞衣醉粧皆五代蜀宮故事

渴睡漢狀元及第 限虞韻

竟從睡後得驪珠誰道龍頭屬腐儒一樣瓊林花事好黃扉相業到君無

明禮部以制義試寺僧 限冬韻

歸胡衣鉢授禪宗選佛場中榜墨濃宣聖低眉彌勒笑士子嘲姚秋試官只怕遇秋農農語

趙松雪家用簿 限先韻

也共蘭亭跋尾傳酒經蔬譜墨華妍仲姬笑指家書問紫粟紅椒直幾錢 見管夫人書札

明世宗自號天池釣叟 限虞韻

三海煙波似五湖蓬池斫鱠亦堪娛釣師莫訝紅衣少更寫黃袍入畫圖 戴文進畫紅衣人垂釣爲明宣宗所斥

宋子京半臂 限灰韻

倚翠偎紅也費才藕絲裳薄忍寒回何如泥水鷗波侶手製羊肝半臂來

螢苑 限尤韻

廢綠平蕪腐草秋練囊風定萬星流煙明月暗雷塘路化作羊燈照玉鈎

李清照畫琵琶行手卷 限虞韻

四絃彈破月黃昏千古青衫有淚痕謾寫荼蘼惜春去秋江楓荻更消魂

一品妃 當歸花別名限鹽韻

倩影亭亭傍玉簾宮衣披處御香添名花合稱紅霞帔（紫霞帔紅霞帔皆宋宮妃位號）不許兒郎插帽簷

庚午小陽月

鴦摩館詞鈔

壺公題

無錫慧山之麓有貫華閣焉詞人顧梁汾先生吟詠之所也昭代詞壇鞠為茂草吾友楊芩泉同年慨蕨蕪之不治復藻繢之舊觀塔影雙清湖光一角經臺拜石松鳴聽濤滿院天香金粟參梵王之果（納蘭容若有天香滿院圖梁汾別號金粟）寒塘月色玉梅伴騷客之魂（陳其年嘗宿忍草庵中玉梅花下交三九迦陵詞名句也）斯景斯情僉與詞洽君德門華膴神思蕭閒紉纈蕙蘭出入風雅左珩右璜之日結習不忘闌風劫雨之天倚聲競寫靈響獨結高懷自芳厲慨實深寄情斯迴屏靡曼之習萬花吐妍運深沈之思一鶴獨舞近追朱厲遠紹姜張其格愈高於律尤密比以鶩摩館詞稿謀剞劂棗下問芻蕘獲睹鴻篇藉抒蠡見孤飛白石獨步清眞唐宋而還詞家龍象國初詞人輩出乾嘉斯道益昌浙西六家江左七子言情數

梁溪杜詔顧翰精律推吳下戈載朱綬迦陵雅音清拔絕俗滄江樂府哀豔動人笙磬同音鄉邦鉅手予生也晚親炙無由家傳玉環鐵網之編案庋銀箏鈿蟬之譜（先叔祖子潛公玉連環樂府紅蕤香室詞珊漁公結鐵網齋詞先伯稚潛公墨壽閣詞蘭塘公銀箏鈿蟬譜）縱淵源之有自欲步武而未能逮遇成連粗諳律呂（光緒乙未始與文道希王幼遐況夔笙鄭小坡諸君酬唱）中年哀樂莫盪離愁老去疏狂輒興寤歎辱弁言之誣諉既搦管而踟躕自知小蠻空螯妄施伎倆彌愧殭蠶抽繭無當體裁喜同調之得人荷知音之許我撫新聲而往復掃盡秕稗比小雅之怨誹聊當歌哭竊擣牙慧永祝心香詞客有靈梁汾應稱知己宗風未墜蓉裳不乏替人敢貢蕪詞以爲喤引年世愚弟汪曾武拜序

梁谿昔之詞藪也自彈指一集導嬎於前藕漁雲川蒹塘諸家喁于賡唱翕然稱盛而蓉裳荔裳伯夔諸先生以名宗逸士跌宕詞壇海內談聲律者莫不知有錫山楊氏晚近風雅小衰元音罕嗣乃今於雲邁世丈覩之雲邁爲蓺芳京卿之猶子而蔭北樞密之從弟也樞密曩嘗與先公同直滑余官京師雲邁折輩行與交暇輒嘯侶爲擊盋之集恆集於余所居蟄園所作藻采葩流婉縟特勝初不知其工詞也及旅沽上結冰社仍沈酣於詩久之乃改作長短句每當新鶯晚雁酒半鐙初觸緒芳菲感而斯寫雲邁間出新作芊綿綺靡有玉田小山風調而蕠臺暮雨之恨煙柳斜陽之悲亦往往於絃外會之儕輩歎詫以爲軟紅塵海中罕其人也比輯所爲詞屬序於余余於聲律綦淺

其何敢贅辭嘗以爲詞學盛於吳越得自山水之助者爲多錫山古稱靈秀九龍蜿蜒雲泉奔注而飛瀉於鷲蠡諸湖碧山之社雲林之薾流風逺矣雲薖近歲於惠山葺貫華閣則固梁汾容若去梯翫月而吟歗其上者也礀阿寂寥松石猶古昔賢逸韻庶幾未湮雲薖有樂乎是以發爲詞暈碧而渲紅者林巒之所摛染也緜情而窅思者煙嵐之所飛盪也聲珠韻玉縈紆迴湊以鳴其幽鬱之蘊者又碧雲白鶴之古情而龍湫靈趵之餘籟也韻藻得自天然湖山助其潤色其衍碧山之雅緒爲彈指之繼聲亘不虛矣余弱歲嘗一游惠山其時宰金匱者伊君峻齋吾鄉墨卿太守之裔相與鼓楫躡屩攀涉者竟日今序是詞猶彷彿散節山寺間掬冰泉而濯雲液也世愚姪郭則澐序

鶱摩館詞鈔　　無錫楊壽枏著

百字令

十刹海觀荷萬紅過雨一綠流雲徙倚湖亭因成
此調邀剛父同作

銀塘雨過對明漪瑟瑟漸生秋意羨煞紅蜻蜓一點來往藕絲風裏綃薄裁霞盤低瀉露舞罷鮫珠碎液池深鎖銅溝流盡鉛水　長憶消夏灣頭滿湖花氣薰得煙波醉雙槳鬧紅搖夢去一片暖香冷翠鏡檻彩痕筝船珮影舊約青鴛記汀洲日暮碧雲冉冉千里

又自題五十歲小像

平生不慣學青油幕下謝宣明面蟬腹龜腸成底用空受庸奴白眼腐鼠功名枯蟫文字誤被虛聲賺蹉跎末路鏡

中華髮偷換　當日錦帶黃驄承平年少看得春光賤莽莽乾坤龍漢刦身逐風輪旋轉桐樹心孤梅花骨冷世味都嘗遍蓬萊海水更經幾度清淺

金縷曲

樊山丈由燕京來津偕桐淵闇公寒雲飲於酒廔即席賦呈樊丈並邀諸子同作

柳外東風峭近清明梨花釀熟采芝翁到重認旗亭青帘影袖角京塵未掃看海上紅桑已老法曲飄零宮羽換聽玉琴彈出清商調渾不似舊懷抱　寥寥故國空文藻賸當年蘿溪畫卷茗樓詞稿壁月銅街行樂地換了冷煙殘照更愁絶江花江草無限蘭成蕭瑟感莽風塵頭白知音少歸夢遠楚山曉

和作　樊增祥 雲門

已巳花朝後一日至沽上味雲首以此調見贈並約詞社諸公爲歡迎之會賦此爲報並寄令弗瀋陽

過了花朝節指煙波丁沽七二來爲嘉客一箇野人如冰冷闌入詞場火熱便高會蕭齋魚䲞月府霓裳同日詠老龍吟換却啼鵑血歌一曲酒一石故鄉烽火連三月賸吾曹高樓趺宕玉笙吹徹二柳俱摧孤楊聳花月從南徙北讓領袖騷壇英絕更憶遼陽香茗姝倩大雷書雁傳花葉十日飲再言別

滿庭芳

春半獨游瀅園蘿幌陰濃杏衫寒峭景物蒼莽可憐追憶春明舊游彌不勝元都葵麥之感適鶴亭

沅叔書來訂日下看花之約倚聲代柬

芳樹籠煙輕陰閣雨峭寒勒住春光玉闌干外風颭柳絲黃一片林塘幽靚愔愔地鶴守丹房無人處簾陰瘦碧松影度廻廊　鳳城空悵望旗亭酒盡輦路苔荒祗兔葵燕麥綠遍斜陽難得薇壺舊侶還料理簫局箏囊瑤壇畔緗桃似繡猶帶茗花香用去春咏桃花茶故事

和作味雲擬至京邑看花先賦此詞即次元韻以堅其約　樊增祥雲門

早過春分猶遲寒食勻攤一半韶光水繞鴨綠水柳已鵞黃屈指瑤京花事有多少春草閒房西山畔梨紅杏白空翠落僧廊　北平多虎跡今猶未至地老天荒憶海棠極樂桑葉漁陽黑蝶詞人到此閒攜取蠻布琹囊華前飲金齏玉膾亭子署鱸香臾中有鱸香亭

水龍吟 楊花 用東坡韻

黃塵匝地春色可憐遲日亭臺柳花如織傷時感事托諸倚聲

本來不當花看和雲飄蕩和煙墜一年一度鶯忙蝶亂惱人情思（自丙辰以來每至春夏間輒有兵事）誰與纏綿儘教拋擲綠窗深閉乍瑤階雨過沾泥無力又簾外東風起最怕曝衣樓畔紫貂褕被他輕綴芳菲世界霎時攪得珠零玉碎萍梗無情桃花有恨共隨流水望天涯一片濛濛多化作傷春淚

憶舊游 豐臺芍藥

近城南杜曲鈿轂珊鞭爭繞珍叢最萬柳堂前路（廉野雲萬柳堂卽在豐臺）有家家池館開遍鞓紅陌頭擔來清曉色映露華濃記前度逢君五雲樓畔（韓南澗芍藥詞五雲樓映玉成盤）百寶闌中（楊國忠植芍藥）

於家以百寶飾欄楯見開元遺事　悤悤髩絲換把瑤京舊夢付與花傭

霧捲珠塵散賸幾枝婪尾猶殿春風謾夸玉盤金帶東坡呼芍藥爲玉盤盂韓魏公賞金帶圍皆揚州故事　麗品擅江東歎宮錦飄香絳都宴罷青瑣空明成化時內閣芍藥盛開李賢等設宴賞之名白者曰玉帶紅者曰宮錦紅　下闋第二句參用玉田別一體

和作　陳寶琛　弢庵

看羣芳代謝殿取春光婪尾連畦過草橋南望恐揚州盛日無此華滋向時祖園王墅蕪沒屬揚師問碧玉誰家銷魂值得留視圖詩　噫嘻駐車處忍千梢藺栗賣與凡廝歲歲兵塵裏儘輪蹄交還虐甚封姨偭嬴帶圍金紫頻觸舊京思奈短髮羞簪還憐欲插無古瓷

探春令 絮影 小山體

柳絲冉冉蕩春雲化愁心千點張憲詩萬點愁心飛絮影恰落花風颺

珠塵軟蝶扶起鶯梢亂 碧痕印入紅窗淺逐爐香低轉

乍空濛一片飄煙墜雨斜照深深院

瑣窗寒 蟄雲新愈小集栩慶適逢快雨喜塡此解

潤逼香篝涼分畫筵藥爐煙靜林亭乍掃滿院苔痕蕉影

望前溪夕陽驟沈一簾梅雨黃昏近愛風荷水面紅搖碧

颭萬珠圓迸 問訊東陽沈甚殢酒躭吟帶圍瘦損清宵

翦燭重諳賓洲笛韻料單衣猶怯晚涼玉琴絃澀冰簟冷

步空庭涇翠濛濛澹月穿花徑

和作 昧雲中秋至京以栩樓雨集新詞見示喜其清綺卽用其調 樊增祥雲門

柳北蟬疏蓮東鷺濕小荷珠定空階露雨喚起茂陵

秋病來詞謂嘯麓初愈寫新詞蓮鴻按歌滿箋艷蔣芙蓉粉想潤逼吳襟涼分蘄簟玉爐香燼　孤悶銷都盡喜再過衡廬一甌玉茗液池嗅櫂也勝丁沽蘭艇正瓊樓高處夜寒老坡度曲浮玉作去聲頂更高吟桂子天香勝奪東方錦

浪淘沙

小雨過荷亭紈扇涼生一簾花霧夜冥冥新月簷黃雲淺碧幾點疏星　悄悄酒微醒勸倚桃笙藕絲衫薄鬢蟬輕十二紅窗多掩上怕聽秋聲

邁陂塘秋水

渺鷗天蔚藍千頃林巒倒映清峭綠波南浦銷魂後又是五湖秋早重倚櫂愛藻影賫香翻比花時好蓮衣褪了賸

幾點青荷漁娘眉翠還向鏡中掃　橫塘路前度瀟湘曾
到如今楓荻都老江天一色涵空碧襯着落霞殘照歸夢
杳問蟹舍魚村何日容垂釣愁心縹緲更遙指紅牆盈盈
一水銀漢挂清曉

同作　郭則澐　嘯麓

捲西風一行帆影空濛秋在何許滄波更比前番濶
散盡冷鷗閒鷺漂夢去賸荻響蕭騷似學愁人語萍
踪漫數奈廢苑菰沈空城潮打總是斷腸處　悲涼
意暗付江湖倦旅蒼茫休問今古浮家便趁蓴香好
忍聽斷鴻啼苦君記取儘照鬢年年添得吳霜縷歸
心易阻又蘭佩香薔桂旗影没淼淼碧雲暮

龍山會　己巳九日雲在山房小集

雙十聯重九先一日爲雙十節看罷華燈又對紅萸酒銀牀飄葉後纔幾日凋盡渚蓮汀柳雁訊玉關來正聽徹連營刁斗謾登高寒蕪落照斷魂時候　天涯倦旅悲秋琴閣箏廊簾幙青霜透尊前開笑口題糕客多是茶仙橘叟雲海鶴初歸尚攜得煙霞滿袖丁闓公由青島歸更相邀暘台蠟屐晚楓如繡與遯園㣈龕闓公有入暘台看紅葉之約

同作　郭宗熙詷伯

一片愁無際又是重陽旅夢悭歸計薊門橫眼底俛闌外遠樹淒迷如薺霜信亘長天早盪起秦箏西氣黯回首萸囊幾換夕陽身世　依然老圃黃花對舞金風宛慰騷人意慧山秋到未貫華覓怕有詞仙偷醉把酒向征鴻問佳節明年何似側烏帽孤雲自喻

瘦竹慵倚

木蘭花慢 題陳圓圓入道小像

數收京破敵青史上美人功陳沅之名見於明史記簫鼓迎來戰場爔炬艷照驚鴻從容碧鷄祀罷把黃絁換却紫霞封紫霞帔宋時妃號誰解功成早退蛾眉却勝英雄 梧宮一夕起秋風春去綺羅空任軍府抄名銀屏金屋難覓芳蹤雲中彩鸞影逝賸蓮塘露冷泣香紅遙指曇華舊觀下方花雨溟濛圓圓於城破日自沉於蓮花池葬曇華庵後乾隆初降乩於商山寺集其詩曰商山鸞影

永遇樂 詞社五十集查灣席上賦呈同社

南月愁烏西風驚雁哀角如雨蠟淚爐香畫堂清夜人似春星聚詞場跌宕鴛鴦箋麝墨爭寫四紅宮譜一聲聲冰絃彈徧最憐錦瑟音苦 蘭成老矣平生搖落賸得江關詩

賦千古淒涼唐愁漢恨借玉箏低訴那堪重憶黃驄陌上
一片殘簫倦鼓尋燕市荊高酒伴狗屠在否

八聲甘州 子有南歸歌此送之

正登山臨水送將歸愁心滿河梁莽江關千里荒雞曉月
冷雁淸霜回首暮笳聲裏日落海雲黃廿載江湖夢客鬢
都蒼 好訪煙霞舊侶向楓亭梅塢共話滄桑只金尊把
處誤了荔支香等閒拋銅琶鐵笛衹蕭蕭鶴背一詩囊還
相約蠟鵝花下重拂箏牀

踏莎行 寒菜

翠玉根香黃金蕊嫩芳郊綠上春衫影如今煙水板橋西
荒畦十畝斜陽冷 苜蓿朝廚蓬蒿晚徑猪肝風味輸君
俊黃虀百甕足生涯閉門自署園官印

短笠生涯長鑱身世英雄末路都如此荒村斜日故侯家空圍秋雨前朝寺 綠潤霜天紅肥雪地年年詣盡酸鹹味先生一笑在冰壺不愁黃葉西風起（黃菜葉西風起乾癟淮張時童謠也）

慶春宮

丁閽公藏豹房銅牌橢圓式長約三寸有奇一面橫刻豹字七百七十五號下鐫豹形一面刻隨駕養豹官軍勇士懸帶此牌蓋明正德時豹房扈蹕之士所佩

樓起簪花場開躤柳六軍豹尾環直絳帕傳籌綠韝佩綬御前親賜牌敕尙方朱火儼圖就銀眸鐵額當年想見氈殿沈沈羽林交戟 十三陵畔荒涼石馬無聲魚燈夜出鹿角鐫銀（孝陵畜鹿懸銀牌見蚓庵瑣語）象牙鏤玉（閽公又藏牙牌是司禮監所佩）都是

前朝故物虎城兎苑問舊蹟銅仙能識只今流落冷市閒
攤土花鏽碧

應天長慢　清眞體

費宮人巷在天津學宮前明末費宮人之故居也
宮人天津人以良家子選入宮甲申四月闖賊陷
京師魏宮人等二百餘人皆投玉河費宮人亦投
井賊出之乃詭稱長公主見闖闖令宮監驗之非
是以賜賊將一隻虎是夕醉虎以酒刺殺之亦自
刎年甫十六也同人僑寓津沽感慕芳烈約拈此
調以紀之

玉河瘞碧金井盥脂滄桑屢換塵刦舊日綠楊門巷紅鵑
尚啼血宮鴉小能殺賊勝石砫錦袍忠烈想羅袖噴灑桃

花劍影如雪　回首弔乾西一炬青霞蘭麝散芬鬱思陵選宮人入青霞室祇應賊至奔入乾西閣戶自焚　更有美人虹起英英貫星月津橋畔尋翠碣莫認作苧蘿香屧料應伴帝女乘鸞同叩瑤闕

探芳信　集林子有飛翠軒看杏花時子有將赴中江

過春仲乍梅雪消寒梨雲破凍又鬧紅庭院香浮日華動白頭已沒簪花分醒了瓊壺夢更休談碎錦春風鈿蟬箏鳳　南國峭颿送恐遠寄銀箋燕翎愁重十里紅樓簾捲萬花擁縱饒院體描金粉爭似瑤臺種訪詞人可有蓬山小宋

清平樂　上元燈詞

香塵如霧月轉華燈午額繡宮梅聞笑語猶鬥翠蛾妝譜乾湻歲時記元夕內人及小黃門皆巾裹翠蛾　曾游絳闕瑤壇海霞紅照鰲山

銀燭樹前似畫不知簾外春寒

雪晴池館珠樹銀燈燦誰識霓裳宮譜換依舊六街絃管

當年蹋月東華貂裘夜醉琵琶今夕燒殘鳳燭玉蟾冷

照梅花

如夢令 葆生屬題舉案圖寓悼亡意

日日垂簾賭茗坐對燕釵蟬鬢飯罷午香清又向綠窗寫

韻春盡春盡門外落花風緊

琵琶仙 詞伯歸自濱江旋復別去餞於棲白廎賦呈同坐

孤館殘鵑間經過幾度花開花落依舊關塞黃塵雲萍共

飄泊臨去日玉叶平梅似雪再來是綠陰池閣麝帊香黯犀

屏墨褪重理芳酌 試回憶葺帽衝寒正千里狼氛照松

漠難得畫堂今夜對明燈珠箔還拂拭吳鉤錦帶向海天

重訪遼鶴怎奈箏雁拋殘又聽譙角

無悶 題蒼虬為晴初寫五峯草堂圖

煙月西泠回首舊游留得巢痕爪印記款竹開扉掃花尋徑檻外鷗波一曲慣照見滄桑詞人影卷簾恰對芙蓉五朵翠幽紅靚 清景漫重省怕鹿砦苔荒鶴瓢泉冷怎塵海飄蕭鳳栖難定憑把生綃寫寄更附到山中青猿信問甚日歸訪谿堂重補藥闌蘿磴

原作 自題五峯草堂圖

胡嗣瑗晴初

吾愛吾廬林巒宛然輕付閒鷗一笑甚別後西湖黯塵難掃空費文章結搆却迸入蘭成傷心稿幾曾領略鶯初雁始隔簾昏曉 凄悄歲華杳便味俊蒓鄉總遲歸棹儘異國登樓坐銷孤抱何日西堂約夢恐

已是池塘多秋草待問取叢桂連蜷可似小山人老

渡江雲 詠桂

檀霞嬌似綺畫闌西畔一樹鎖涼煙萬花攢瑣碎散雪團
雲綴就蕊珠圓馚馧五夜向定中參到犀禪還認取前身
金粟寶月寫娟娟　堪憐蟾寒影瘦蠹老香殘望銀河秋
淺料上界清虛紫府也種桑田吳剛玉斧渾拋卻問幾時
謫下瑤天尋舊夢露華冷濕銅僊

剔銀燈 聞雁

清夜誰調箏柱彈入霜鴻哀譜孤館燈殘空堂酒醒勾起
淒涼百緒天涯倦羽比聽到嗁鵑更苦　歲歲銜蘆覓侶
且為稻粱留住陣斷衡寒聲高警月常此流年暗度北來
南去試問爾定居何處

雙調憶王孫　秋草

遠近關河殘照裏空滿目冷煙荒翠裙腰黯澹玉鉤蕪漸瘦到紅心死　靑袍一例傷憔悴似老去庾郎身世衰螢化碧照秋墳是千古傷心地　下闋傷閻公之逝也

蘇幕遮　冬柳

水雲荒沙月凍十里紅橋冷了笙歌夢去馬一鞭殘雪擁羌笛聲聲譜入梅花弄　恨絲絲愁種種短日昏鴉暗把流年送盼到龍池春氣動帶雨拖煙萬縷黃金重

山亭宴　初冬集李又塵水香榭

一棱霜月窺簾瘦逼茸衫夜寒初透芳序怎匆匆又數到梅前菊後銅荷燭淚照深杯有幾輩題箏籠袖呵墨校詞箋漸鳳硯冰絲綹　溪山罨畫空回首料一樣冷雲踈柳

塵海幾間鷗笑我亦漫郎聱叟相逢南雁話鄉愁問湖上芙蓉開否（故鄉城西有芙蓉湖）歲晏孰華予且共泛紅螺酒（又塵宜與人藏有萬紅友鳳硯）

憶舊遊　弔水西莊舊址兼悼查瀞

羨承平耆舊風月園林占盡聲華留得滄桑影但荒陂放鴨廢堞棲鴉（天津城垣亦毀）猶有後來詞客製譜掐紅牙話家世風流行人指點一曲鷗沙　堪嗟舊遊逝但冷醉閒吟送了生涯重過西洲路把懷人清淚彈上蘆花空認百年喬木秋色老煙霞聽鬼唱淒涼楓林月黑尋鮑家

庚午小陽月

鶱學館詞補鈔

壺公題

鴦摩館詞補鈔

無錫楊壽枬著

百字令

山村旅宿絡緯聲出自籬根獨客悲秋譜成此調

尋尋覓覓一聲聲只在豆花深處金井銀牀涼月下繅出愁絲千縷燈火昏黃星河夜碧冷荅秋笳語荒村孤館聽來音更酸楚　誰伴思婦閨中流黃織素軋軋鳴鴛杼生怕玉關寒信早催入西風砧杵瘦蜨偎煙暗螿咽露多是悲秋侶寄人籬下候蟲身世最苦　乃少年客并門時所作偶於友人扇頭見此詞因錄存之

臨江仙　艮谷莊夜投僧寺

獨下雲峯尋古寺楓林路轉層層斜陽衰草帶寒陵　時監修陵工葉聲幽似鬼樹影瘦於僧　塔院無人鈴自語夜窗松

月初生經幢禪榻黏生塵蒼鼯饑出穴白蝠冷窺燈

摸魚兒

丁卯三月十三日謇虎社長約北海公園畫舫齋展上巳褉飲余因病未到代拈雅字倚聲却寄

傍湖亭箏船酒幔紅闌十叶平二低亞蕢香綠遍湔裙水勾引玉驄游冶觴咏罷又十日東風吹得梨花謝柳絲一把倩縏住韶光重聯吟侶共結白鷗社　應記取管領騷壇風雅蘭臺舊日聲價謇虎爲葉蘭臺先生之孫銀燈官舫裁詩句合仿虹橋圖畫春去也笑辜負芳辰暗被鸎哥罵閒情怎寫待藍尾筵開猩屏錦幄醉倒牡丹下

又題漁洋山人戴笠圖

上題漁洋山人三十九歲小影貌清癯微有髭鬚

笠蕉衫手握靈芝之一本獨立懸崖古樹之下旁綴
飛泉曲徑錦石秋花禹之鼎寫眞華亭李藩補景
好蕭閒幽溪曲塢蒼煙遮斷蘿徑銀箏聲杳桐花鳳留得
襟痕屧印秋色淨襯一笠亭亭紅上斜陽影蕉衫穩稱向
金閣披雲玉泉浣月嵐翠滿吟髩是年春公與宋荔裳諸人同游西山當
年事記卸淮南簿領簪毫重直蘭省雙旌西指褒斜道蹋
徧鶩溪鳳嶺是年秋公以戶部郎典蜀試霄路負想手把瓊芝鶴背銖
衣冷摩挲畫本有瘦碧詞人留題像贊香潤墨華瑩有文叔問
題贊

東風第一枝 唐花

棠夢驚回黎魂喚起春風忽到瑤圃那知釀雪時光卻動
探花興趣鸞臺餞臘訝翠翠紅紅無數且趁他青帝無權

顛倒蕋宮花譜　看密密蜃窗障護憑綏綏鵲鑪薰炷煖融萬朵緋霞香滃一重絳霧黃金爭買只幾日粉蔫脂污怎及我紙帳梅花獨對冷香覓句

暗香　簾鉤

曲瓊如舞映碧波瑟瑟湘雲低護曉夢初囘簾底紅鸚隔花語生怕春魂蕩漾教銀蒜重重鉤住卻驀被一陣東風吹入海棠雨　人去楚江暮剩缺月一痕半挂煙霧倒窺繡戶來近粧臺鬥眉嫵剛聽玲瓏戛玉又放下蝦鬚千縷間燕子歸也未累儂久竚

疏影　前題　徐沅　芷升

湘波淺貼有璧痕半翦如畫新月煮夢光陰人住黃昏高樓翠幌塵曡年來玉瘦風須障早一桁珊瑚低

撥問幾時倩劈蝦鬚却認靚粧明徹　秦女徧生孏
愓亂愁被歷定慳卷珠纈十載椒華靜鎖夷光臏水
空題紅葉吳宮碎恨抛銀蒜算有箇傷心人說只等
閒悶損年年望眼曲瓊遲揭

春草碧本意

東風吹盡荼蘼雪但一片平蕪傷心碧極目古道長亭煙
雨霏霏弄春色何處最銷魂銅駝陌　還記裙翠飄鸞扇
香撲蝶玉鞭冶游人今頭白空臏滿地紅心年年繡遍啼
鵑血愁煞舊王孫歸未得

菩薩蠻秋院題紅圖

翠鬟斜嚲鸞釵重畫裙蹙損泥金鳳小立傍簾陰霜花院
宇深　銀牀涼葉墜化作燕支淚背面泣西風機中錦字

紅

鵲橋仙 早秋

桐陰池館碧愔愔地簟卷冰紋如水蘋花雨後藕花風便釀出三分秋意　平蕪殘照關河千里都入南鴻聲裏涼波搖動五湖雲空自憶蓴羹菰米

壺中天 芝南丈以畫箑見貽賦此報謝

冰紈幾摺借丹青皴染香光畫譜仿思翁筆意　卌載東華塵土裏夢在丹崖碧渚煙柳平橋霜楓古寺似我曾游處松窗渲筆墨痕豔滴薇露　當日官府神仙花驄菰蓋躡遍西湖路詩句還鐫天柱石看足楚江煙雨鴻雪前塵鷗波妙蹟寫出滄洲趣巾箱珍弆莫教蠹粉輕污

和作　卓孝復 芝南

漫歌持贈一聲聲似聽蘋洲新譜猶記簪毫隨粉署
十載同攀溫樹雲在齋中貫華閣上晚近懸車處天
涯回首幾人肝胆迸露 應念暫別旋親未須梅使
夢繞江南路多少尋常冠蓋客寂寞誰來今雨白髮
三千黃花重九領略柴桑趣西風初起不愁吹面塵
污

驀山溪 律沽寒食

花朝過了又是清明近春色已三分尚恁地留寒做暝江
鄉此日酒熟杏餳香槐火㸑柳煙輕門巷東風靜 天涯
勑旅減卻看花興懶檢踏青鞵怕明日陰晴不定漢宮傳
燭舊事總淒迷城南路鈿車稀一碧蘼蕪冷

和作 查爾崇 峻丞

鸝黃輭綠風裊垂楊陌暖徹賣餳天又銷魂市簫吹碧六朝金粉草長亂鶯飛紅蹴踘畫鞦韆望斷江南北　水西何處衰鬢長爲客荼把臢空庖笑眞似黃州寒食旗亭喚醉輕費沈郎錢吟未了酒微醺花外鵑聲急

滿江紅　葆生屬題陳季馴先生詩集

季馴先生爲其年檢討之從曾孫子萬戸部之曾孫以孝廉宰山左戸部爲侯朝宗贅壻子孫遂占籍商邱葆生則戸部之六世孫季馴先生之從曾孫也集分八卷爲先生手定本序跋皆同時名士蕭紹庭得之以贈葆生已巳初夏同人讌集於詞伯齋中葆生出以徵題爲塡此闋

錦箋璚籤合收入君家篋衍想當日名流裙屐爭飛篇翰雲海歸時桐尾爨雪泥踏處蓬根轉賸一卷翠潤鵲華煙摩挲遍（歸雲雪鴻卷石轉蓬爨餘雙棲桐館皆詩集名）題舊曲桃花扇和新咏梅花卷只樽前少箇紫雲捧硯孝綽淸文珠唾粲盈川妙蹟銀毫借倩（吾鄉劉芙初先生作序吾家蓉裳公題字）歎蕭齋圖籍半飄零書空換（見葆生跋語）

浪淘沙　題劉梁壑詞稿

君爲四川人奉母僑居吳門母沒以毀死遺詞稿一卷言君仲遠爲印行

南國長蘭蓀化作愁根東風啼斷子規魂蜀道蠶叢歸未得死傍吳門　詞苑幾才人玉笥藏雲笛牀簫局已成塵留得曉風殘月譜唱徧秋墳

浪淘沙 仲遠邀賞千葉蓮花席間首拈此調繼聲答謝

珮影照銀塘水月多香亭亭翠蓋擁紅粧似惜蓮儂心最苦不採瑤房千葉蓮葉盛花肥而不結實 猶記液池旁舞罷霓裳錦鴛夢醒玉波涼分得露盤珠一斛醉我璃漿天寶遺事太液池開千葉白蓮明皇邀妃子同賞

玲瓏四犯 聽雨 用淸眞體寫竹山詞意

涼雨如潮記十二紅樓珠箔慵捲一夜瀟瀟人在杏花深院去去獨上吳船但滿目冷雲哀雁更打篷瀉玉聲亂煙水楚江淒黯 只今衰鬢星星換伴閒房藥爐經卷娑羅樹底流雲逕禪榻孤燈暗勾起萬斛舊愁待譜入玉簫魂斷雨中聞隔院簫聲想斷魂都在楊柳外芭蕉畔結句兼用于湖詞意

鼓笛令 蛙

秧田綠遍黃梅雨乍添了新聲兩部月黑煙青吳苑路更攙入淒涼更鼓占得稻花鄉住儘消受柳風蘋露皤腹張頤偏跛扈總難出井闌一步

滿江紅 壽林々有六十

文采清門爭羨汝衣帽蘊藉年少日五陵意氣黃衫白馬妙品一流棋射酒高才三絕詩書畫到如今華髮漸驚秋星星也 花月曲春江夜吹鐵笛飛銅斝更呪桃賭茗神仙之亞梅子詞名青玉案荔支鄉味紅雲社想酒酣猶欲挽銀河杯中瀉

高陽臺 壽郭嘯麓五十

珠帕簪花銀毫起草家傳鸞掖文章鶴蓋行春宦游多在仙鄉玉龍喚醒鈞天夢鎮十年一臥滄江論才名青兕豪

雄黑蝶疏狂　麻姑笑指蓬山路怎瑤田荒盡都種紅桑
冷眼觀棋橘洲歲月偏長清聲唱遍桐花鳳恰生辰數到
漁洋君生日與王漁洋同好秋光桂子香中共酌霞觴

滿江紅　壽王瑤青供奉

鐵笛仙翁是舊日開元供奉曾見汝臉霞紅印雀翹初攏
舞罷霓裳天一笑萬枝絳燭笙歌擁更筵前唱徹紫雲廻
梁塵動　彈破了梅花弄喚醒了梨花夢又清聲聽到桐
花小鳳南國新翻瓊樹曲東風深護瑤林種羨丁年玉筍
滿門牆霞觴捧

疏影　詠影

紅窗寂寂唐人曲名有紅窗影任映花掩柳行處無跡乍度迴廊旋
入疏簾慣似驚鴻飄瞥空階立盡梧桐月又驀被輕雲遮

隔最憐伊生小相親步步鎮隨鴛屧　金粟前身悟徹是
人是我相眞幻難識長記華年慘綠衣裳照得春波一色
如今人比梅花瘦尙伴我醉節吟幘更那堪破碎山河還
共玉蟾圓缺

摸魚兒　和曾太公詠美人蟹用原調原韻

美人蟹產於潮汕間形小殼黃背有美人半身影
紺髮垂雲雙瞳剪水狀甚淸晰此物似未見前人
記載可補入傅肱蟹譜中也

最玲瓏錦匡如繡來朝合伴龍女斂宮鐫出靈娥影恍覩
鬢雲鬟霧潮上路笑郭索銀沙也學淩波步蛋孃細數看
靑沫噴珠素肌擘玉一一翠筲貯　霜園美桃葉西風古
渡問誰打槳迎汝入厨諳得羹湯性酷愛碧醢紅醋潮落

處被越網攜來恰配西施乳鮰陽識否待左手持螯好教
周昉寫作蓼塘譜徐熙有蓼塘蟹圖畢卓鮰陽人

八聲甘州　題憫盦填詞圖

記五陵裘馬少年場倚醉看吳鉤歎而今憔悴蕉心綠怨
梔尾紅愁空憶烟沽舊侶漁唱海天秋詞社稿刻成題曰烟沽漁唱老
去青衫客夢覺揚州　畫出淞波一曲算江湖滿地著箇
閒鷗有花間小榭花外小紅樓底須教蓮鴻按拍君不畜姬嫚
度新腔自擘鈿箜篌憑闌聽聲聲鐵笛譜入藚洲

燭影搖紅

癸酉古重陽日慈約誦洛約修秋禊同訪水西莊
遺址倚聲記之分得客字

訪菊城西霜風吹黯黃塵陌花蔫酒冷古重陽依舊流觴

客無復荷香柳影樊榭題水西莊詩楊絲盡踠地彌望菱與荷但蕭蕭寒塘楓
荻當年此地候月停舟討春命㞋露井烟畦斷碑僵立
苔紋碧尚存乾隆御碑已斷復粘合梅花詩社亦蒼涼壇坫聲華寂涸
盡前朝文采翠溟翻紅桑歷歷荒莊補葺合讓蟫香仙龕
配食範蓀丈有興復水西莊之議慈約繼之

聲聲慢 題淸微道人空山聽雨圖 用草窗體

道人王姓名嶽蓮號韻香無錫人所居曰福慧雙
修菴工書畫嘗繪空山聽雨圖題詠皆乾嘉間名
士卷中有道人小像卷後自題二律字仿黃庭今
藏南陵徐氏

冷紅庭院瘦碧簾櫳曇雲深護瑤天細雨櫻桃愔愔潤到
琴絃空隨萬花彈淚向蒲團自懺塵緣傷薄命但黃絁學

道翠帔游仙　遥想華嚴誦罷便瀟瀟禪閣靜對鑪煙椋拂葵衫替他寫上畀幾徵憐曼陀轉刼負三生慧業青蓮人去也問蘭亭眞蹟今落誰邊奚鐵生所繪原圖爲人賺去今圖爲許玉年等所補

金縷曲　送春

開過荼蘼了怎朝朝風風雨雨雲屏寒峭只有杜鵑啼最苦啼徹紅樓春曉恨底事春歸太早又聽鷓鴣聲聲喚道黃塵遮斷關山道行不得此間好　年年廢苑生芳草更堪他珠鈿零落玉顏易老青子綠陰惆悵日銷減鬢絲多少況天末錦鯨人杳試問銅溝漂花片共滄波趨海何時到誰知我甚懷抱時啟庵丈新逝

庚午小陽月

戚庵筆草

壺公題

吾錫楊氏自寺頭遷城近三百年世以績學植品爲鄉邦推重魁儒循吏接踵駢起匪第以科名仕宦爲族黨光也自科舉廢而學堂興後來俊秀畢業於本國及歐美各校精科學而堪世用者尤未易殫數雖然人各有能有不能處此文軌大同窮變通久之時而蓄道德能文章融貫中西而立言一軌於正者味雲再姪其尤也壬子乙卯之間鈺佐味雲於長蘆運署山東財廳見其蒞事勤臨財廉蕩滌煩苛於國計民生兼權並顧公餘則從容書史抗雅揚風政事文學兼而有之足以繼鱣堂之緒而凜四知之箴矣今秋鈺重遊津沽獲覩味雲所著藏盦幸草洞悉古今中外政治源流其持論平正通達不爲迂儒之泥古亦不爲俗士之狥時其稱英國地方自治之完美則成周六卿

六遂之法也其述日本教育之普及則三代黨庠州序之制也其取歐美圜法之精良則管子輕重九府之遺也其論財政曰桑孔理財而漢業衰安石理財而宋政壞又曰大學言財聚民散魯論言因利而利皆理財之精義旨哉言乎民爲邦本百姓足孰與不足漢唐宋明清開創之初靡不輕徭薄賦藏富於民而海內平治各數百年近觀環球各國或薄賦歛厚民生以躋强盛或竭民膏擴軍備以階亂亡孰得孰失味雲蓋籌之熟矣故前佐計部辦預算則屏新政各費於副册不輕籌款以恤民艱優給外官養廉緩裁河工經費後榷鹽長蘆則廣闢鹽產兼濟鄰銷而杜洋鹽入口司計山左則嚴交代懲貪墨增籌千萬民不怨而吏不疲其所措置力持大體不以頭會箕歛爲能今

讀是編然後知其學養之有本矣因為之敘而歸之歲在
戊辰秋七月楊鍾鈺題於津門寓廬

藏盦幸草

荅泉居士輯

燼餘之文既輯爲五卷復掇拾叢殘得若干條皆讀書時隨筆劄記既無標題亦不成片段合爲一卷悉覆瓿燒薪之物也論衡曰火燔野草車轢所致火所不燔名曰幸草是編亦余之幸草乎乙丑秋日記於京師之藏盦

扶輿靈淑之氣自西北而至東南三代之時帝王卿相皆出中原僅今之陝西山西山東河南數省而已西漢人才產於關隴東漢人才聚於河洛三國之世旁及荆襄典午南渡以還文物衣冠漸歸江左而河嶽英靈未盡衰歇也故唐之河東宋之河南與東西漢相輝映然龍光射斗紫蓋渡江吳會之間人文日盛前明則勳臣多淮右朝貴半

江西本朝則江浙擅文風皖楚盛武烈皆東南疆域也直隸爲歷代帝都數百年來人才蔚起而其地亦在坤輿之東境矣今文明之氣或將遵海而南然西北地脈雄厚土氣剛勁蘊蓄日久必鍾瑰奇範甫兄嘗謂余曰白山黑水間王氣已洩惟蔥嶺左右據神州之脊必有異人間出力足以鞭笞六合駕馭五洲如忽必烈穆罕默德其人者然當在二十世紀後矣

三代之法至秦而一大變秦漢之法至唐而一小變唐宋之法至今日而又將一大變中間相隔各千餘年唐初制租調庸法卽古者布縷粟米力役之征世業口分猶有井田遺意迨兩稅行而賦法乃一變矣秦漢以來皆用徵兵唐初府兵猶有寓兵於民之意迨彍騎興而兵制乃一變

矣漢魏用人不外選舉徵辟兩途至唐而州郡椽屬皆命於銓曹搢紳發軔悉由於科目任官取士之法又一變矣蓋有唐一代實古今之關鍵也宋元至今遞相沿襲已逾千年今則人羣進化智識日新文明改制之說社會平權之論波譎雲詭吾不知世變之所極矣

自古羲軒巢燧前民利用皆以工王天下而商政則始於神農易繫辭所謂日中爲市致天下之民聚天下之貨此後世市政之權輿也周禮司市一職區畫禁防纖悉備具市有定所分地以經市是也市有定時上旌以令衆是也竊謂先王體國經野之道大之在田制小之在市政分田之制封而畫之井而區之疆理正而農不擾經市之政肆而異之廛而別之次序定而商不爭蓋古者農與商並重

故市政亦與田制相通也降及漢代猶存古意故市亭之制鄭氏引之以釋經後世此制既廢一闠之市商自爲政官不過問奸民逐利者得挾其狙詐之才以陰施其壟斷之術而市政亂矣今西人經營通商各埠規制整齊顜若畫一殆猶有周禮之遺意歟

六經者學問之根柢也諸子者學問之枝葉也詩書禮樂之旨仁義道德之原如日月之麗天江河之行地而諸子百家亦各挾其堅深刻苦之力瑰奇瑋異之思分門樹幟各成一家使當世誦說而尊奉之必其精神光氣有不可磨滅者至漢武帝表章六經罷黜百家數千年之學術遂統於一尊而中國文化進步之機亦因之而滯近世歐化東漸學識一變論者每謂西人哲理宗教政治法律及聲

光化電之學多源於周秦諸子而大學格致一篇實爲科學之祖蓋漢以前本有此種學術後世儒者不能演迪而推闡之崇本而遺末舍實而課虛白首鉛槧汨没於訓詁章句之中而智識日趨於錮蔽致好異之士反斥儒術爲空疏甚欲倡爲廢經之論嗚呼豈不寃哉

經學至清而極盛詆之者以爲研求訓詁考證名物瑣碎支離而無所用甚謂經學盛而經義晦此專就考據一派言之也大抵文風士習視國家政令爲轉移當順康雍乾諸朝整飭士風嚴禁結社講學則涉朋黨之嫌著書則蹈文字之禁於是博雅之士遁而窮經朝廷亦尊崇經術褒獎宿儒進有稽古之榮退負儒林之望使白首丹鉛疲精於章句之中英姿壯氣不剗而自消詖行邪辭不禁而自

戢正與詩賦時文取士用意畧同道其弊也士創新說人矜異解駁至改制平權之說亦託經義以自文而離經叛道之禍作矣夫漢儒守經宋儒守道皆有功於後世至漢學流爲穿鑿宋學變爲空虛此則末流之弊非先儒所及料也

宋以前無理學之稱然歷數漢唐以來名臣循吏大都從理學中來未有貪鄙邪諂之人可以定國家利人民者東漢風俗之美一壞於曹孟德再壞於王夷甫諸人自三國至六朝武侯以外人物無可比數士大夫所矜者衣冠門第所重者才辯詞章其時海宇分裂國祚屢遷篡者八朝弒者十二主擾攘者四百五十年至唐初而始現清明之象唐太宗文治武功卓越千古然家難起於蕭墻之內女

禍興於帷闥之中貽謀不臧國本已撥故有唐一代惟貞觀開元號爲全盛餘則藩鎮擅兵奄宦竊柄天下未嘗一日安至五季干戈而彝倫名教掃地盡矣宋五子出直接孔孟道統聖經賢傳如日再中道德學問之氣深入乎人心上自君相下至皁隸無不知忠孝廉節之可貴詩書禮樂之可珍故自宋迄清上下八九百年間南宋之外統一者四朝一朝之中承平者累葉雖昏庸之主奸佞之臣水旱刀兵之禍史不絕書而朝政亂於上人心治於下可見理學之足以扶持世運也

書聖學宗傳後

士大夫節義之風學問之氣有倡之自上者東漢光明諸帝是也有倡之自下者北宋范程諸賢是也明季搢紳之恣黨社之橫不賢者武斷鄉閭賢者亦不免裁量公卿把

持朝政然其亡也忠臣烈士赴蹈如飴收祖宗養士之報爲三百年青史增色[redacted]清祖入關於明代貳臣皆湔祓擢用卽閹黨如馮銓賊黨如宋企郊輩首先迎降不失富貴對於百姓則免加餉并丁稅以寬大收拾人心獨於士紳執法嚴治私史科場逋粮海寇哭廟諸獄屠戮者數百人褫革者數千人吾意當日廷臣鑒於明季之事謂非一切痛懲無以爲治特借此數案爲名以嚴儆豪紳華士耳自此以後士氣安馴四民戢戢奉法國家遂以收承平之效迨其季則朝多尸位之臣野無抗節之士竊鈇遷鼎上下宴然雖有高節如夷齊采薇蕨以餓死西山者人孰憐而敬之或問天下何以治余曰人人知忠孝貞廉之可貴耶侈悖亂之事不生而天下治矣嗚呼今何世哉

余幼年讀書私謂武王九十三而終成王尚在襁褓是成王之生武王已將九十而唐叔諸弟之生又在九十後矣邑姜爲武王元妃成王之母生成王之年齡雖不可考至遲當在四十左右與武王之年幾相差四五十歲豈武王五十歲以前並未娶妃九十歲以前並未生子乎考之經終不能明問之師亦不能答及長博考羣書始恍然於種種牴牾均誤在襁褓一語（竹書稱武王五十四而陟似較可信）此誤既解而周公居攝之疑問亦不辨而自明矣按文王世子正義引鄭氏金縢注文王崩後明年生成王於事理爲近由此推之武王即位十三年而克商又四年而崩其時成王年已成童古者天子諒闇冢宰居攝吾意武王臨終未命必託孤於周公以叔父之尊而行冢宰之職負扆抗法均在諒

闇居攝之時管蔡等同屬懿親而顧命不及故因疑忌而生流言周公避位居東不過如後世之宰相出鎭依然握兵柄而遙執朝權故能成破斧東征之績若一聞流言便倉皇行遯白龍魚服一力士足以制之而謂公之明智肯爲此乎成王喪畢已將弱冠執書感泣豈童丱所能國難既平君年亦長公雖歸朝不過仍居相位佐天子制禮定樂而已安得復有居攝之事乎大抵秦政焚坑之餘古書殘缺傳聞異辭漢以後僭竊相沿執筆之臣希望風旨援尹周爲口實飾經義以文奸言摹大誥紀汲書僞經僞史紛然並出故自三國以至五季篡弒者十數朝紛擾者千餘載皆由文士經生甘作權奸鷹犬倡邪說以誣古聖遂以開後世之亂階甚矣學說之流毒深也

或問賈生欲爲屬國以制單于其說能行否答曰西漢之初匈奴彊盛數爲邊患高祖以三十萬衆困於平城用陳平之計僅乃得免文帝之時侵上郡入蕭關掠雲中句注烽火至於甘泉緣邊之民荷戈而不得息雖以亞夫爲將魏尙爲守會未能稍挫其鋒賈生以洛陽之少年乃欲係單于之頸而制其命吾嘗反覆其說而竊歎其料敵之疏慮患之淺也且匈奴之地東接朝鮮西并月氏南滅樓煩白羊北服丁零屈射列帳數千里控弦數十萬人此誠漢家之强敵而賈生乃曰其衆不過當一大縣此豈知當日之事勢者哉蘇氏以爲處士之大言少年之銳氣至比之趙括輕秦李信易楚使文帝果用其策則兵端一起邊衅方長不必待武帝末年而始有輪臺之悔矣論者謂文帝

有李廣而不將有賈生而不相以是爲恨余謂李廣行軍簡易尙非大將之才卽賈生立談痛哭亦乏宰相之器使假之年壽以老其才所見必不止此蘇氏之論盡之矣燧見

所作論尙有見地因節存之

明莊烈帝時內憂外患同時並作使用欵淸之策以全力掃蕩中原任洪承疇以制闖任盧象昇以制獻天下尙不致糜爛也乃廷臣鑒南宋之轍力阻和議交章抗爭不知明之於淸非有戴天不共之仇稱姪稱臣之辱也迂儒泥古坐令精兵艮將盡殲於松杏之間而流寇鴟張遂不可制矣此一失也寇患既深李邦華建議南遷或以太子監國留都當是時中原苦兵而大江以南尙宴然無烽燧之警也金甌雖缺半壁猶完上可冀靈武中興之功次亦可

成永嘉偏安之業乃拘於國君死社稷之義遷延不決卒使虞淵日盡宗社成墟又一失也儒者論古人之事讀古人之書當上下千古獨具卓識若眼光不出故紙堆中論理不論勢知經不知權鮮有不誤人家國者（書明季北畧後）

去莠乃能安良懲惡乃能勸善龍蛇虎豹禹周不得不驅國家承平之時官吏以姑息爲政奸民卵育其間始不過私立教宗焚香賽會誘愚聾以斂財帛而已嘯聚日眾一旦揭竿而起海內騷亂屠殺者且數百萬人明之闖獻清之洪楊初起時得一能吏足以了之殆其後則宗社邱墟蒼黎焦爛孟子言不嗜殺人者能一之古無不殺人而定天下者分別在一嗜字蓋以生人之心殺人是爲不嗜殺曾子告士師曰如得其情則哀矜而勿喜存哀矜之心乃

可治獄兵刑皆殺人之物得其道則兵卽爲義刑亦名祥定天下以兵刑治天下以禮樂漢唐宋明淸承平各數百年用此道也

孔子曰邦無道危行言孫當東漢季年政治濁亂而黨錮諸人方激揚聲名互相標榜裁量朝政品覈公卿使昏主懷疑奸人側目所謂履虎尾批龍鱗難乎免矣禍難旣作便當如元禮之親詣詔獄孟博之慷慨登車烈烈英英千載下猶慕其風槪至若張儉之望門投止株連殄滅者十餘家岑晊之貽累府主脫身奔竄平日以婞直立名臨難乃草間偷活是豈君子之所爲哉賈偉節所言斯爲正論矣書後漢書黨錮傳後

顧亭林曰做官不入黨秀才不入社便有一半身分蓋鑒

於明季之弊痛乎言之也士大夫立朝講學不能無朋不可有黨黨見重則生私心私心重則昧公義牛李恩仇之分此黨之在政治者也朱陸異同之辯此黨之在學術者也不獨小人排除異己也君子亦然宋元祐時蜀洛朔三黨互相攻擊勢同敵讐卒爲章蔡一網打盡明天啟初趙高邑爲冢宰孫高陽相國語之曰朝廷官職天下人皆有分我輩必不與異己者共之此危道也然則東林之禍高陽已預見之矣

富韓公常言君子與小人並處其勢必不勝君子不勝則奉身而退樂道無悶小人不勝則交結搆扇千歧萬轍必勝而已迨其得志則遂肆毒於良善求天下不亂不可得也吾因思古今小人柄國之久者如李林甫十九年蔡京

二十二年秦檜二十六年史彌遠二十四年嚴嵩二十六年而君子多不安其位惟唐之房杜姚宋明之三楊劉謝爲稍久耳故辨君子小人之分則難進易退易進難退二語盡之矣

漢之誅淮陰宋之誅檀道濟明之誅傅藍皆千古寃獄令人憤惋大抵功高見嫉勢逼生嫌以英傑之才遇雄猜之主鮮有免者然使王莽謙恭下士之日横被誅夷曹操倡義勤王之後遽遭葅醢人必歎息痛恨謂壞汝萬里長城矣莽莽乾坤無非强淩弱智詐愚如螳雀之伺鷸蚌之爭成則爲帝王敗則爲叛虜一部二十四史皆作如是觀

西漢之興功臣多出於豐沛東漢之興功臣多出於宛洛固由山川雄秀之氣獨萃於一方亦由布衣之交心腹足

倚鄉曲之誼肝膽相投風虎雲龍氣求聲應非但君臣之契兼有戚友之私急則相賙敗則相救即至走卒下隸亦皆有固結不解之情此所以能成大業也近代湘軍之興節鉞旌旗遍於十八行省始則一二賢豪提倡而成風氣繼則千百智勇援繫以成功名苟非湘人往往以孤立而敗曾文正曰吾湘軍將雖有仇臨戰未嘗不相援故有晨參商而夕赴救者此可知袍澤同仇之誼仍出於鄉井友助之情也

凡一代之興能享國數百年之久非偶然也其始也必有雄武之主以武功定海內其繼也必有英明仁厚之主以文德致太平讀史至漢之文帝唐之太宗宋之仁宗明之孝宗清之聖祖此數君者值天地泰交之運海宇昇平民

物壽考深仁厚澤淪浹民心刑以不殺爲威財以不蓄爲富兵以不用爲功（唐滅突厥淸平準回用兵四夷又當別論）生其世者涵煦於景風淑氣之中皡皡熙熙如登春臺而游化宇社稷靈長之運恆必由之古人謂創業難守成亦不易吾謂覘國祚之修短則守成視創業尤重晉武隋文統一海內繼以惠煬二主則一再傳而亂亡東晉南宋偏安一隅而繼以明帝之英明孝宗之寬厚故立國皆逾百年歷代興衰卽此可覩矣

自古忠臣義士擊奸鋤佞奮不顧身或碎首殿墀或塡身牢戶若漢之鉤黨明之東林諸君子風節卓犖浩氣凜然千古爲之痛惜然身家旣毀宗社旋墟名雖成而事已無補明智之士則不然如陳太邱之弔張讓郭汾陽之避魚

朝恩此委曲以求全者也王沂公之逐丁謂徐華亭之排
嚴嵩此從容以伺變者也汾陽功高太邱名重勢易蹉跌
道在保身王徐之於丁嚴同在政府平日不露圭角退然
自下時會既至落角摧牙勢若甚易然以丁嚴之機詐使
無王徐兩公制其後則丁晉公將再入中書嚴公子騎款
段出都門矣自古君子與小人爭勢常不勝惟此二事差
快人意中庸言三達德智居仁勇之先蓋仁易近於懦勇
易近於粗運之以智則經權互用剛柔交劑無施而不可
故君子之術莫善乎用智莫妙於應幾非模稜脂韋者所
可藉口也

李蒓客慈銘所著越縵堂日記中推李文饒張江陵之相
業辨涯餘訓注之寃論宋季道學明季臺諫末流之弊皆

與余意合嗟乎黨禍之害國也甚於鴆菫清議之僇人也甚於斧鉞觀漢唐宋明末造言路之横士氣之囂力能把持朝局顛倒輿論麗之者則爲君子背之者則爲小人一受詆誣冤沉千古史彌遠誤國之奸也徒以能優容道學論者遂多恕辭張江陵救時之相也徒以綜覈過嚴身爲怨府家中奇禍所以銳身任事之人動受齮齕而結納臺諫收召清流者遂翕然而號賢相也（訓注小人死非其罪當時牛李兩黨皆爲所扼意在幸災故助宦官張目）

英國立國之根本雖在海陸軍之强盛工商業之經營而其特色實在地方自治之完密全國之制府分爲鄉鄉分爲區區有長鄉有正府有官司其人率由各地方自行舉充於風土民情靡不周知熟計凡地邑民居溝渠道路勸

工興學救災恤貧諸事責其興辦委曲詳盡纖悉靡遺以地方之人行地方之事故條規嚴密而民不嫌苛以地方之財供地方之用故政斂繁多而民不生怨而又層累曲折以隸於政府得稽其賢否而獎督之計其費用而補助之厚民生而培民俗深合三代之遺制實爲內政之本原也考察英國政治大畧

歐洲各國政治悉根源於羅馬舊制言政法者必先言羅馬猶中國學者必首推周秦羅馬爲古昔最强之國幾於統一歐洲其立法之原最富於統治之力法國地近羅馬政法實得其遺傳而又經拿破崙第一雄才大畧綜攬洪綱以沉毅英鷙之姿手定立國治民之法公私上下權限分明政體雖已變更治法未嘗稍異至其行政之統系則

教育實業及內務行政皆分寄之地方自治而外交兵政財政必集權於中央此立憲國之通例不以君主民主而殊也考察法國政治大畧

日本立國之方公議共之臣民政柄操之君上民無不通之隱君有獨尊之權其富强之效雖得力於改良法律精練海陸軍獎勵農工商各業而其根本則尤在教育普及自維新初即行强迫教育之制國中男女皆入學校人人知納稅當兵之義務人人有尚武愛國之精神法律以學而精教育以學而備道德以學而進軍旅以學而强貨產以學而富工藝以學而興不恥效人不輕捨己故能合歐化漢學鎔鑄而成日本之特色也考察日本政治大畧

環球各國俱以金幣為易中之本位權之以銀銅二幣輔

之以鈔幣證券其流通聚散之機關則統於國家銀行鑄幣行鈔之權惟國家銀行得有之蓋財政大綱不可不統一於中央政府也故入其都市觀其廛肆所挾以爲交易之用者皆形製有定象輕重有定衡無朝夕無遠近皆顯若畫一細民不得撓其分量持其緩急而國家常握其操縱之柄焉微特其輕齎畫一利於商戰之競爭也即以行政言國家之歲入歲出既有一定之圜法上下之交無可容其欺蔽故預算決算可以持籌數計無或爽失而又有銀行爲出入之樞紐使國中之財常貢於國家以效用無府庫封殖之虞其紙幣既得信用尤可補三品之不給鼓鑄無匱乏之患茲其財政之所以善也節錄貨幣制度考提要

古者有丁稅有庸調故戶口之編審爲最重官吏以之爲

殿最國家以是爲盛衰雖其間時有隱匿脫漏此特奉行之不善而非立法者之弊也自後世併丁於田有司惟以賦役之辦集爲課最而門牌戶册視爲具文付之胥吏未嘗過問譬猶爲家長者不知子姓僮僕之多寡安能治其一家之事哉日本維新之初首定創編戶籍之法一切新政皆由此推行是故職業有表耕地有表均稅租有表寄居者則有文憑出遊者則有護照廢疾有所養奸宄無所容令行禁止上下一心遂能以區區之島國與列强相抗峙嗚呼豈非編審戶口之效哉　吾之所論重在編戶口非欲復丁稅也（日本國志書後）

理財之法莫精於泰西英俄德法諸國歲入皆以數千萬鎊計其取諸民也除田產房屋海關工商各廠外下至民

間一器一服一菜一蔬一犬一馬無不有稅其賦斂之繁科條之密。雖桑孔之治財宋明末造之加賦猶不至是然而民卒不以爲病者何也西人之言曰國者民之公産也君者爲民治此産者也取一國之財卽以治一國之事是故有預算之表以計一歲之所入有決算之表以計一歲之所出布諸國中登諸報紙雖婦人孺子皆曉然於財政之大綱而知君若相之早夜孜孜以謀利者無非爲吾之身家計也故重徵而不以爲怨多取而不以爲貪中國取民之制於古爲最輕自國初極盛之時歲入不能四千萬兩近今始有洋稅釐金等項入款驟贏然亦不過八千餘萬耳而官吏之陋規胥吏之中飽歲不知其幾百千萬也有司以催科爲盡職至學校農田水利保甲興利除害諸政一切視爲具文使吾民但見侵漁之害而不知寬大之恩則司牧者之過也日本壤地僅得中國二十五之一而歲入乃得中國十分之七今觀表中所載至纖至悉一出一入官無所私豈特步武泰西之效哉抑亦綜覈名實之力也我誠倣其法而行之歲入且驟增五六倍倘何貧弱之足憂哉　篇內所稱歲入八千餘萬係近人光緒會計錄所刊之數庚戌年預算成立全國歲入共計三萬萬兩而日本歲入已加至六萬萬元亦非明治初年之數矣

書日本國志後

桑孔理財而漢業衰安石理財而宋政壞榷鹽鐵算舟車設均輸行市易利析秋毫使富者破家貧者失業海內嚚然喪其樂生之心而天下之亂起矣國家盡財之政有三

曰河曰漕曰鹽當乾嘉全盛時代海宇承平公私豐富庫帑之耗於河漕者歲千百萬鹽利之散於商民者亦數千萬園亭歌舞之盛宴饌輿服之華冗官遊客走卒販夫仰而衣食者不下數十萬人舉國皆知爲耗財之藪然聖君賢相明知其弊而不肯毅然剷除者蓋藉此爲保富之術散財之用也迨咸同以後國家多故漕河鹽三者勢成弩末無復當日之豪華而國計民生反因之而日困其故可思矣

近世言改鹽法者皆祖李雯之說曰就場徵稅一稅之後不問所之天下皆私鹽天下皆官鹽矣此書生之論也鹽產於灘價僅一二文稅於官者幾數十倍販私利鉅誰肯經此一稅者海濱之地斥鹵廣莫處處可曬處處皆可走

私惟河東四川雲南之鹽井或易防禁然私鹽終不能絕者蓋場官巡卒運商竈丁皆漏私之人也論者又曰廢綱商收灘場破引界行官收官運官賣之策無論其法之難行也即使此策行而私梟絕跡國課驟增則挾國家之威力破數千家商人之產亦奚足恤特不知海濱雕悍之民果能槁項黃馘老死於萑苻蜃蛤之鄉乎明裁驛站而流寇起東三省封金鑛而馬賊興生計一窮鋌而走險所願知政體者於國計民生兼權而熟計之也　中國地大物博以戶口比例銷鹽決不止此數如果私鹽淨絕則增稅一倍並不為奇惟鹽為民生日用所必需非菸酒奢侈品之比立法宜寬不宜嚴徵稅宜輕不宜重故歐西各國多主免稅憶光緒朝因籌付賠款鹽斤加價四文部議鄭重

聲明後不爲例今鹽稅收入比前淸幾增兩倍偏僻之鄉民多淡食反仰給於私鹽而議改章者猶斤斤以增稅收爲第一義無論爲官運爲商運終是頭會箕斂之術耳

科舉廢後余嘗著學校貢舉私議大畧以學校養士仍以科舉之法取士小學堂准民間自設而遵用官定課本縣設中學堂一以縣之大小定學額之多少省設大學堂一以省之大小定學額之多少中央設高等大學院一學額視廷試所取而定小學卒業者每年由縣考試一次取者入中學視舊日之秀才中學卒業者每三年由省考試一次取者入大學視舊日之舉人大學卒業者每三年由中央考試一次取者視舊日之進士再令廷試分甲第以翰林部曹知縣用翰林部曹授職後皆入中央高等大學院

如舊日學習之例令研究經世之學仍分設各科俾專門人材得資講習亦以三年卒業知縣到省先入仕學館講求吏治凡法政人才上者翰林次者部曹下者知縣專門人材上者翰林餘各按所學一律分部士子一試不中准其再試數試不中則仿舉人大挑優拔貢朝考之例另爲籌出身之路課之以實學復榮之以虛名使天下英雄仍入彀中則士品端而人心靖矣　原稿已失記其大畧如此此舉世所笑爲迂闊者也然觀今日之取士任官漫無標準人心浮動士氣囂張反不若科舉時代猶有軌範之可循也

劉晏常言士陷贓賄則淪棄於時名重於利故士多清修吏雖廉潔終無顯榮利重於名故吏多貪污千古以爲名

言今之用人不言德而言才不重名而重利舞弊者爲智黷賄者爲能是士而有吏行矣廉者蠖屈貪者猱升陷贓賄者非但無淪棄之嗟且有顯榮之望如是而欲人材磨濯吏治澄清烏可得哉

再實之木其根必傷而灌漑栽培亦視人力自來簪纓踵起多出於詩書清白之家漢之宏農楊氏汝南袁氏皆四世三公唐之河東張氏宋之河南呂氏皆三世宰相傳之史冊以爲美談尤盛者唐之蘭陵蕭氏七葉八相與唐盛衰相終始蕭瑀相太宗瑀姪嵩相玄宗嵩子華相肅宗孫復相德宗曾孫俛相穆宗倣相文宗玄孫寘相懿宗來孫遘相信宗明則侯官林氏三代五尚書林瀚子庭㭿庭機孫燫烴靈寶許氏父子一宰相三尚書許進子誥讚論本朝則桐城張氏無錫嵇氏諸城劉氏常熟蔣氏皆父子宰相而海甯陳氏三相

兩尚書兩侍郎尤爲極盛其三世宰相僅尹文端公一家
然豐沛世家又當別論一門科第之盛者宋之張去華張
師誠梁灝梁固皆父子狀元陳堯叟陳堯咨孫何孫僅皆
兄弟狀元明則南海倫氏父子四元文敘會狀子以諒解元以訓會元榜眼
本朝則崑山徐氏兄弟三鼎甲乾學秉義皆探花元文狀元長洲彭氏
祖孫會狀定求孫啟豐此外祖孫父子兄弟叔姪同掇高科者
自宋明以來不能遍舉考諸載記其先世大都積德累仁
雖儒者不談因果而積善餘慶經訓昭然若夫權臣奸相
始雖炙手終必覆宗天道報施理無或爽惟張湯酷吏後
世貴顯乃由其子安世仁厚所致湯則及身蒙禍足蔽厥
辜矣書皇明盛事考後
土者五行之君萬物之母也人非土不生物非土不成膏

潤而木茁井炎而火熾掘泉而出水鑿礦而取金四者皆生於土也木腐金鑠火燼水湮生於土者復歸於土也民非水火不生活然戈壁無水冰厓無火而物未嘗不生無土則萬物無所麗而乾坤或幾乎息矣其性柔故不傲其質固故不變聖人取之以利用君子法之以成能

孔子贊鬼神之德極之體物不遺大易言精氣爲物游魂爲變義理精奧非俗儒所能解以其事空虛杳渺不敢輕言有瞰於室有嘯於梁搜神說鬼之家言之鑿鑿孰主宰是其理終莫能明今以科學眼光觀之始悟靈學實根於電學也人身三寶曰精氣神西人簡言之則爲電氣氣散於天地間而聚於人身年壯則電氣盛年老則電氣衰死則復散於天地間常者爲鬼正者爲神靈者爲仙悍者爲

厲其附於物也則有木石之怪是皆電氣所主宰也前世所紀靈鬼未可盡信亦未必全誣卽以神仙言關侯呂祖靈異夙著今亦少衰吾意千百年後神仙亦有滅度之時如蓄電之瓶久而自竭電觸物而動鬼依人而行其理一也於何徵之於扶乩徵之吾少年時家設乩壇祀奉甚虔獨余與蘭樵弟斥其誕一日約爲扶乩之戲焚符後堅持乩筆不使動須臾跳躍盤中持之益堅旋覺有數十斤之重物壓於乩上腕力不勝稍鬆卽旋轉如飛成詩一首詞意淸妙不解其何以然由今思之蓋靈鬼之氣游衍於空中適與生人之電氣相觸附之而動殆卽無線電之功用也但焚符何以能召鬼此理尙待發明耳宇宙間形形色色皆電氣之所彌綸騰霄潛淵微妙不可思議異日靈學

隨電學而日昌必有洞幽明之理而通人鬼之郵者請以
吾言爲劵

庚午小陽月

雲邁詩話

壺公題

苓泉居士輯

唐殷璠選河嶽英靈集每於作者小傳中標舉佳句雅鑒精識論多洞微自古詩人流連風景陶寫性情往往一句之妙驟得賞音一字之工傳爲佳話固不獨元長朔風之句子建明月之章也余不知詩何敢妄論顧念早歲始學聲律嘗取古人之名章秀句手錄成帙以三唐爲主而遠溯漢魏以導其源近沿陳隋以窮其變體例太碎品藻多乖誠不免斷錦裂繒之誚然亦足引導興會濬發心靈雖貽笑於大方或有裨於初學幼女景昉始學爲詩乃選漢魏兩晉六朝三唐之詩令其誦習復於篋中檢取此稿重加編次芟其蕪累得若干條授景昉寫定爲家塾課本

兩漢之詩高在風格奇在氣韻愈澹愈厚愈淺愈深魏晉之詩文質相宣降至六朝文多質少大抵雕琢工則傷骨組織密則傷氣古今相傳名句如古詩之相去日以遠衣帶日以緩四顧何茫茫東風搖百草盈盈一水間脈脈不得語白楊多悲風蕭蕭愁殺人枯桑知天風海水知天寒少卿之攜手上河梁游子暮何之子建之明月照高樓流光正徘徊太沖之振衣千仞岡濯足萬里流康樂之清暉能娛人游子澹忘歸池塘生春草園柳變鳴禽淵明之采菊東籬下悠然見南山元長之朔風動秋草胡馬有歸心元暉之餘霞散成綺澄江淨如練魚戲新荷動鳥散餘花落文通之日暮碧雲合佳人殊未來仲言之露滋寒塘草月映清淮流吳興之亭皋木葉下隴首秋雲飛就以上諸

聯觀之漢魏古質温厚氣象渾然至康樂而淯風漸漓至元暉而樸意漸散然皆直抒胸臆無煆煉之痕針線之迹人人胸中所有之意眼前所用之字一經運化便覺神味醲厚意旨遙深降而陳隋藻繪滿目古意寖衰矣詩以性情爲主漢魏善言情齊梁工寫景此亦升降之分

陶淵明詩人皆愛其閒淡昭明獨稱其精拔如春風扇微和日暮巾柴車平疇交遠風曖曖遠人村依依墟里煙扇字巾字交字曖曖依依字皆下得精采决非信手拈來特天分高不見煆煉之迹耳如韋蘇州流雲吐華月妙處在流字吐字孟襄陽微雲淡河漢疏雨滴梧桐淡字滴字妙微字疏字更妙煉字至此正如初寫黃庭再過火便入賈島李洞一派矣

元暉之花叢亂數蝶風簾入雙燕徒使春帶長坐惜紅顏變娟秀極矣却已開中晚唐法門固不如大江流日夜客心悲未央之超渾也

芙蓉露下落楊柳月中疏精工極矣却出以自然不費絲毫氣力所以可貴試思芙蓉露下楊柳月中人人皆能道得何以著落字疏字便成名句此中三昧未易言傳郭功父語黃山谷曰君詩費如許氣力做甚雖戲語學者不可不知

齊梁陳隋與初唐時代銜接故句法往往相似如桃花舒玉洞柳葉暗金溝（庾肩吾）數螢流暗草一鳥下疏桐（劉孝威）竹密山齋冷荷開水殿香（徐陵）雲峰初辨夏麥氣已迎秋（何遜）玩竹春前筍驚梅雪後花（江總）晚霞浮極浦落景照長亭（盧思道）

暗牖懸蛛網空梁落燕泥薛道衡竹開霜後翠梅試雪前花虞世南野花常捧露山葉自吟風王勃伏檻排雲出飛軒繞澗迴楊炯野含時雨潤山雜夏雲多宋之問月明三峽曙潮滿九江春沈佺期鵲飛山月曙蟬噪野風秋上官儀薛蘿山徑入荷芰水亭開杜審言此等句法苟掩其姓名孰辨時代此類尚多約舉數聯大約五律至王孟而超至少陵而大若沈宋王楊猶沿六朝綺習也

劉希夷代悲白頭翁張若虛春江花月夜洗六朝之穠豔漸返清真采四傑之芳華稍趨流麗劉之年年歲歲花相似歲歲年年人不同張之江畔何人初見月江月何年初照人格調相同情韻雙絕

詩至齊梁陳隋雕靡極矣唐初沈宋王楊猶沿舊習子昂

起而掃六朝之餘綺開一代之宗風讀其詩眞有天風琅琅海山蒼蒼之槪余每謂學詩入手時先取漢古詩十九首太沖詠史步兵詠懷太白古風如此類詩百餘篇爛熟胸中自然襟抱高超筆力雅健一切卑靡纖庸之習何能犯其筆端

漢文首推賈董長沙俊偉光明體原於史江都淵懿醇厚理本於經古今文人不能越此二派唐詩首推李杜靑蓮奇逸古雅力追漢魏上薄風騷功在復古少陵變化縱橫陶冶羣工獨闢堂廡功在開今古今詩人亦不能越此二派

余幼年學詩於晉好太沖越石於六朝好元暉明遠於唐則好靑蓮尤喜誦長干行關山月烏夜啼烏栖曲遠別離

戰城南白頭吟蜀道難獨漉夢游天姥等篇雖深處未能領會但覺其音節淸脆天趣盎然琅琅數過便能背誦至讀杜詩轉覺木木無味蓋初學大抵如此

咳唾落九天隨風生珠玉此靑蓮自道其詩也試摘其古詩中之警句皆以揮灑出之若不經意而爲他人千錘百煉所不能到豈非仙才 兩兩白玉童雙吹紫鸞笙去影忽不見回風送天聲 壁遺鎬池君明年祖龍死秦人相謂曰吾屬可去矣一往桃花源千春隔流水 前水復後水古今相續流新人非舊人年年橋上游 洗兵條支海上秋放馬天山雪中草 下視瑤池見王母蛾眉蕭瑟如秋霜 積此萬古恨春草不復生 撫頂弄盤古推車轉天輪 女媧戲黃土摶作愚下人散在六合中濛濛如沙

塵　天兵照雪下玉關虜箭如沙射金甲　羅幃舒卷似
有人開明月直入無心可猜　何許最關情烏啼白門柳
博山爐中沉香火雙煙一氣凌紫霞　春風爾來爲阿
誰胡蝶忽然滿芳草　兎絲固無情隨風任顛倒誰使女
蘿枝而來強縈抱兩草猶一心人心不如草莫捲龍鬚席
從他生網絲且留琥珀枕或有夢來時　皆生不能掃落
葉秋風早八月胡蝶黃雙飛西園草感此傷妾心坐愁紅
顏老　機中織錦秦川女碧紗如煙隔窗語　一谿初入
千花明萬壑度盡松風聲　春風不相識何事入羅帷
興酣落筆搖五嶽詩成嘯傲凌滄洲　春風捲入碧雲去
千門萬戶皆春聲　一風三日吹倒山白浪高於瓦官閣
蟪蛄啼青松安見此樹老　三朝上黃牛三暮行更遲

三朝復三暮不覺鬢成絲　舉手弄清淺誤攀織女機

少陵云白也詩無敵飄然思不羣清新庾開府俊逸鮑參軍靑蓮云恨不攜謝眺驚人句搔首問靑天可以知其宗法之所在矣靑蓮古詩凌跨鮑謝何論蘭成律詩則猶帶六朝餘綺如邊月隨弓影胡霜拂劍花人煙寒橘柚秋色老梧桐池花春映日窗竹夜鳴秋天隨平野闊江入大荒流霜仗懸秋月霓旌卷夜雲山從人面起雲傍馬頭生芳樹籠秦棧春流繞蜀城天晴一雁遠海闊孤帆遲樹深時見鹿溪午不聞鐘波光搖海月星影入城樓涼煙浮竹盡秋月照沙明笛奏龍吟水簫鳴鳳下空玉樓巢翡翠金殿鎖鴛鴦山花插寶髻石竹繡羅衣皆不愧俊逸清新之目特視杜陵雄奇闊大無格不備似少遜一籌耳

文章之妙全在斷續離合操縱處見筆法讀之覺聲情沉鬱意氣激昂老杜古風長篇多用此法醉時歌痛飲眞吾師下突接清夜沉沉動春酌燈前細雨簷花落但覺高歌動鬼神焉知餓死塡溝壑簡薛華醉歌末段突接氣酣落日西風來願吹野水添金杯如澠之酒常快意亦知窮愁安在哉忽憶雨時秋井塌古人白骨生青苔如何不飲令心哀皆悲壯淋漓讀之神王所謂操之如鷹在韝縱之如蛇赴壑也醉歌行汝伯何由髮如漆下突接送別情景曰春光淡沱秦東亭渚蒲芽白水荇青風吹客衣日杲杲樹攪離思花冥冥得此數語全局俱振他人無此筆力劉少府新畫山水障歌畫師亦無數至耳邊已似聞淸猿一段正面寫完如斷壠連岡漸趨平迤下忽接曰反思前夜風

雨急乃是滿城鬼神入元氣淋漓障猶濕眞宰上訴天應泣奇峰疊嶂突起眼前此等處皆足開後人無限法門又渼陂行下半篇曰半陂以南純浸山動影裊窕沖融間船舷瞑戞雲際寺水面月出藍田關此時驪龍亦吐珠馮夷擊鼓羣龍趨湘妃漢女出歌舞金支翠旗光有無咫尺但愁雷雨至蒼茫不曉神靈意少壯幾時奈老何向來哀樂何其多當羣山忽瞑圓月初上之時恍惚有此窈冥靈異之狀此段從水面月出一句幻出以下奇境

哀江頭哀王孫等作麥秀黍離之感也前後出塞等作采薇出車之義也羌村三首東山之勞歸也同谷七歌北門之憂窶也兵車行石壕吏潼關吏新婚別垂老別等作皆憫傷戍役之詞憶昔杜鵑行冬狩行等作皆忠愛君國之

意佳人夢李白寄韓諫議麗人行玄都壇歌渼陂行短歌行送孔巢父等作或明豔窈窕或幽靈恍惚源出楚詞鐵堂峽靑陽峽木皮嶺桔柏渡飛仙閣萬丈潭等作或幽險古奧或淸削雄奇體兼漢賦此皆元微之所謂上薄風騷者也北征赴奉先縣呈韋左丞送王砅評事醉時歌洗兵馬丹靑引古柏行觀公孫大娘弟子舞劍器及五排之謁玄元皇帝廟贈哥舒開府贈汝陽王等作此皆元微之所謂鋪陳終始排比聲韻者也

杜詩格律渾成不應但摘佳句然前人詩話已有此例不妨效顰亦見此老陶鑄百家暉麗萬有詩聖之號洵不虛也　雄壯則星垂平野闊月湧大江流吳楚東南坼乾坤日夜浮風連西極動月過北庭寒水落魚龍夜山空鳥鼠

秋五更鼓角聲悲壯三峽星河影動搖無邊落木蕭蕭下不盡長江滾滾來　典重則冠冕通南極文章列上台閶闔開黃道衣冠拜紫宸麒麟不動爐煙上孔雀徐開扇影還旌旗日煖龍蛇動宮殿風微燕雀高　綺麗則花動朱樓雪城凝碧樹煙山河扶繡戶日月近雕梁風箏吹玉柱露井凍銀牀　華妙則星臨萬戶動月傍九霄多退朝花底散歸院柳邊迷落花游絲白日靜鳴鳩乳燕青春深香飄合殿春風轉花覆千官淑景移　工雅則暗水流花徑春星帶草堂竹鑪燒藥竈花嶼讀書牀紅稻啄餘鸚鵡粒碧梧棲老鳳凰枝　精深則勛業頻看鏡行藏獨倚樓江山有巴蜀棟宇自齊梁二儀清濁還高下三伏炎蒸定有無　高拔則日出寒山外江流宿霧中藍水遠從千澗落

玉山高並兩峰寒江天漠漠鳥雙去風雨時時龍一吟路
經灩澦雙蓬鬢天入滄浪一釣舟　蘊藉則一病緣明主
三年獨此心聖明無棄物老病已成翁豈有文章驚海內
漫勞車馬駐江干　閒適則水流心不競雲在意俱遲一
徑野花落孤村春水生水深魚極樂林茂鳥知歸秋水纔
添四五尺野航恰受兩三人穿花蛺蝶深深見點水蜻蜓
欵欵飛有時自發鐘磬響落日更見漁樵人　奇警則山
寒青兕叫江晚白鷗飢入天猶石色穿水忽雲根返照入
江翻石壁歸雲擁樹失山村高江急峽雷霆鬥古木蒼籐
日月昏　感慨則感時花濺淚恨別鳥驚心風月自清夜
江山非故園萬里悲秋常作客百年多病獨登臺三年笛
裏關山月萬國兵前草木風　洗煉則無風雲出塞不夜

月臨闕二語從洗煉來若作地名則無味矣錫飛常近鶴杯渡不驚鷗入簾殘月色高枕遠江聲織女機絲虛夜月石鯨鱗甲動秋風石出倒聽楓葉下櫓搖背指菊花開　縝密則凍泉依細石晴雪落長松亂雲低薄暮急雪舞迴風飛星過水白落月動沙虛月明垂葉露雲逐渡溪風岸風翻夕浪舟雪洒寒燈　體物則細雨魚兒出微風燕子斜暗飛螢自照水宿鳥相呼圓荷浮小葉細麥落輕花波漂菰米沉雲黑露冷蓮房墜粉紅　寫景則兩行秦樹直萬點蜀山尖遠水兼天淨孤城隱霧深含風翠壁孤雲細映日丹楓萬木稠絕壑過雲開錦繡疏松夾水奏笙簧　使事則共傳收庾信不得比陳琳對棋陪謝傳把劍覓徐君匡衡抗疏功名薄劉向傳經心事違　起句之佳者帶甲滿天地胡爲君

遠行莽莽萬重山孤城山谷間四更山吐月殘夜水明樓風急天高猿嘯哀渚清沙白鳥飛迴　結句之佳者何當擊凡鳥毛血灑平蕪萬方聲一概吾道欲何之關塞極天惟鳥道江湖滿地一漁翁杜詩佳句不止此聊就管窺以供雅誦幸勿笑其罣漏也

萬里悲秋常作客百年多病獨登臺每句四層意作客一意也常作客二意也悲秋三意也萬里四意也登臺一意也獨登臺二意也多病三意也百年四意也只常字獨字已寫盡旅況無聊滿目淒涼之狀況重以萬里悲秋之境百年多病之身乎此正如畫家山水層層皴擦愈深愈厚而筆意蒼古雄秀無一點軟媚氣所以爲大家

胡來不覺潼關隘龍起猶聞晉水清下句用逆挽頓有龍跳虎臥之勢義山之此日六軍同駐馬當年七夕笑牽牛

飛卿之迴日樓臺非甲帳去時冠劍是丁年同一筆法但不如杜之雄偉耳

王右丞五古勝於七古五律勝於七律五絶勝於七絶盛唐詩家首推李杜配以右丞如鼎三足

王摩詰之送祖三劉文房之送邱爲皆工於用短王之天寒遠山淨日暮長河急解纜君已遙望人猶佇立劉之楚思暮愁多川程帶潮入潮歸人不歸獨向空塘立融景入情讀之令人惘惘而王之風格尤高（劉似從王脫胎）

松月生夜涼風泉滿清聽荷風送香氣竹露滴清響微雲淡河漢疏雨滴梧桐向夕開簾坐庭陰落翠微夕陽連雨足空翠落庭陰皆孟襄陽句也乾坤清氣得來難有唐一代詩人惟襄陽當得一清字

劉長卿之秋月照瀟湘月明聞蕩槳錢起之濯髮清泠泉月明不能去清絕不減襄陽王龍標之苔草延古意視聽轉幽獨又空山多雨雪獨立君始悟當與韋柳把臂

詩須情中有景景中有情少陵之日月低秦樹乾坤繞漢宮劉辰翁評曰此語投贈中有氣若登高覽勝則俗矣飛卿之雞聲茅店月人跡板橋霜永叔以爲羈愁旅思見於言外古人詩如此者甚多大抵游覽而動傷今弔古之情送別而狀臨水登山之景便覺感慨茫茫百端交集悟得此訣詩文自然不落呆相矣

戰餘落日黃軍敗鼓聲死一川碎石大如斗隨風滿地石亂走黃沙獵獵吹人面漢虜相逢不相見皆唐人邊塞詩

之奇句也然總不如老杜之落日照大旗馬鳴風蕭蕭氣
象雄偉壓倒一切
登慈恩寺浮圖岑杜兩作俱堪千古少陵寄託深遠超出
象外若論雄偉精麗語語稱題當推嘉州爲合作
曲徑通幽處禪房花木深松際露微月清光猶爲君清微
超妙視右丞襄陽別是一種風格永叔欲效之而不能得
余謂此等語妙出自然非可强效如韋蘇州之落葉滿空
山何處尋行跡東坡和其韻曰寄語庵中人飛行本無跡
大不如韋句之超妙矣
雷聲傍太白雨在八九峯東望白閣雲半入紫閣松岑參
句也疾行穿雨過卻立視雲背白日照其上風雷走其內
劉禹錫句也寫雨景皆奇絕余嘗登角山遇雨髣髴覩此

景雨後虹起澗底五色晃耀上凌煙霄東跨海嶠尾没於雲濤杳靄之間惜無岑劉健筆寫此奇境

陳後山曰杜以詩爲文韓以文爲詩故不工余謂以文語入詩則腐以文法入詩則奇青蓮之詩漆園之文也少陵之詩龍門之文也昌黎淩紙怪發縱横排奡詩如其文長篇古風不能備舉如短篇雉帶箭筆力峭勁自是古文勝境月蝕陸渾山火奇麗詭瑋所謂若使乘酣騁雄怪造化可以當鑱鐫也至若暖風抽宿麥清雨捲歸旗五言之妙何減王孟金爐香動螭頭暗玉佩聲來雉尾高七言之勝何減錢劉後山所評未爲允當

韓柳並稱韓文勝柳柳詩勝韓子厚幽秀超儁參以妙悟如回風一蕭瑟林影久參差道人庭宇靜苔色連深竹曰

出霧露餘青松如膏沐寒月出東嶺泠泠疏竹根煙消日出不見人欸乃一聲山水綠皆非退之所能道也韋柳並稱而柳不及韋者以氣脉少促耳如韋之落葉滿空山何處尋行跡微雨靄芳原春鳩鳴何處喬木生夏涼流雲吐華月春容閑淡之句亦非子厚所能道也

韋柳佳句上述數聯外如微雨夜來過不知春草生雲淡水容夕雨微荷氣涼秋山起暮鐘楚雨連滄海楊柳散和風青山澹吾慮歸棹洛陽人殘鐘廣陵樹寒雨暗深更流螢度高閣綠陰生晝靜孤花表春餘此蘇州句也美人隔湘浦一夕秋風生山花落幽戸中有忘機客壁空殘月曙門掩候蟲秋來往不逢人長歌楚天碧風窗疏竹響露井寒桐滴高樹臨清池風驚夜來雨此柳州句也清微幽雋

讀之使人胸次超曠如飲露餐霞不復思人間煙火矣子厚楊白花樂府曰楊白花風吹渡江水坐令宮樹無顏色搖蕩春光千萬里茫茫曉月下長秋哀歌未斷城鴉起此詩與青蓮之楊叛兒樂府皆絕唱也

香山詩才一代驚豔秦中吟長恨歌琵琶行等作題旣新妍詩亦華妙敘事則曲折如意言情則宛轉關生此實元白所𠠝新體宜乎旗亭傳唱價貴雞林也全集多閒適和暢之作余特采其寒食野望吟曰丘墟郭門外寒食誰家哭風吹曠野紙錢飛古墓纍纍春草綠棠梨花映白楊樹盡是死生離別處冥漠重泉聽不聞蕭蕭暮雨人歸去東坡嘗於野外令郭生歌之發音悽然每句後皆綴以散聲坐客有泣下者聲音之感人如此

孟東野之烈女操游子吟眞足羽翼六經直木有恬翼靜流無躁鱗短松鶴不巢高石雲始棲想見立品之高南山塞天地日月石上生橫空盤硬語昌黎亦當却步烏得但以寒瘦目之

賀黃公曰李賀骨勁而神秀在中唐最高深溫厚有氣格奇不入誕麗不入纖此眞深知長吉詩者如美人梳頭歌却扇一顧百媚橫生雖溫李無此風韻乃知古錦囊中佳句不必皆從神林鬼塚中得來雁門太守行寫圍城苦戰之狀哀角橫秋夕陽頳紫鼓聲已死劍氣如生極忠勇慷慨之意唐人邊塞詩未有如此篇之奇麗者

李長吉奇句　女媧煉石補天處石破天驚逗秋雨　黑雲壓城城欲摧甲光向日金鱗開　半捲紅旗臨易水霜

重鼓寒聲不起　遙望齊州九點煙一泓海水杯中瀉
驚石墜猿哀竹雲愁半嶺　南山何其悲鬼雨洒空草
二十八宿羅心胸元精耿耿貫當中殿前作賦聲摩空筆
補造化天無功　天河夜轉漂迴星銀浦流雲學水聲
王母桃花千遍開彭祖巫咸幾回死　秋墳鬼唱鮑家詩
恨血千年土中碧　羲和敲日玻璃聲劫灰飛盡古今平
洞庭雨腳來吹笙酒酣喝月使倒行　百年老鴞成木
魅笑聲碧火巢中起　楚魂尋夢風颸然曉風飛雨生苔
錢　南山削秀藍玉合小雨歸去飛涼雲　芳蹊密影成
花洞柳結濃煙花帶重　寶帳垂雲選春夢鈿合碧寒龍
腦凍　楊花撲帳春雲熱　酒中倒卧南山綠　呼龍耕
烟種瑤草　蹋天磨刀割紫雲　天若有情天亦老　飛

香走紅滿天春　桃花亂落如紅雨　天生異才令鬪詩中奇境恉乎靈寶早隕使錦囊佳句遽止於此豈造化靈祕不容盡洩耶

義山籌筆驛重有感杜工部蜀中離席安定城樓隨師東等作氣脈直接少陵後人捋撦義山但學其隸事精切摛詞藻麗不免買櫝還珠矣

義山無題致光香奩皆當流離憔悴之餘寫怨悱憂傷之意其辭隱其旨微興託闈襜體原騷雅讀者但宜論世知人得其旨趣而已擬諸玉臺宮體固屬矮人觀場卽强作解事箋註紛羅仍不免隔靴搔癢

義山七律佳句　滄海月明珠有淚藍田日煖玉生煙
身無彩鳳雙飛翼心有靈犀一點通　隔座送鉤春酒煖

分曹射覆蠟燈紅　一春夢雨常飄瓦盡日靈風不滿旗
閬苑有書多附鶴女牀無樹不棲鸞　夢爲遠別啼難
喚書被催成墨未濃　春蠶到死絲方盡蠟炬成灰淚始
乾　紅樓隔雨相望冷珠箔飄燈獨自歸　風波不信菱
枝弱月露誰教桂葉香　神女生涯原是夢小姑居處本
無郎　金人掌冷三更露玉女窗虛五夜風　絲樹轉燈
珠錯落繡檀迴枕玉雕鎪　雲隨夏后雙龍尾風逐周王
八駿蹄　賡歌太液翻黃鵠從獵陳倉獲碧雞　此日六
軍同駐馬當年七夕笑牽牛　永憶江湖悲白髮欲迴天
地入扁舟　軍令未聞誅馬謖捷書惟是報孫歆　夜捲
牙旗千帳雪朝飛羽騎一河冰
温飛卿樂府頗得比興之義矯元白之淺而運以精思變

張王之質而澤以古藻造意幽邃不逮玉溪而俊逸勝之製詞瑰奇不逮昌谷而溫婉勝之五古如江南曲西洲曲七古如曉仙謠曉春詞湖陰曲雞鳴埭歌張靜婉采蓮歌郭處士擊甌歌懊惱曲達摩支曲皆幽豔古秀從此入手可免庸爛生硬之病但不宜沈酣耳

余藏有舊抄本中晚主客圖乾隆時高密李石桐所輯也詩皆五律分爲二派一派曰清眞雅正以張籍爲主朱慶餘上入室王建于鵠入室項斯許渾司空圖升堂趙嘏顧非熊任翻劉得仁鄭巢李咸用章孝標崔塗及門一派曰清奇僻苦以賈島爲主李洞上入室周賀喻鳧曹松入室馬戴裴說許棠唐求升堂張祜鄭谷方干于鄴林寬及門蓋仿唐人主客圖也品藻高下未必確當所選詩特清妙

楊升庵詩話謂晚唐分爲二派一派學張籍一派學賈島所言與此選相合大抵才清者好學水部思深者好學長江衣鉢相傳至宋不替宋初九僧水部派也宋末四靈長江派也

趙嘏汾上宴別寫離情極穠至七律華美而多秀句不止長笛一聲人倚樓也長信宮絕句云自恨身輕不如燕春來長繞御簾飛從龍標玉顏不及寒鴉色化出而興味較薄

晚唐五律吾取馬戴張喬以風格高也七律吾取韓偓韋莊司空圖羅隱吳融情韻流美含思悽婉猶有騷雅之遺

古風佳者殊少五古吾取陸龜蒙古意曰茱萸篋中鏡欲照心還懶本是細腰人別來羅帶緩從君出門後不奏雲

和管妾意冷如簧遙遙望君暖心期夢中見路汞魂夢短
怨坐泣西風秋窗月華滿此詩猶有靑蓮遺韻劉駕棄婦
詞曰回車在門前欲上心更悲路旁見花發似妾初嫁時
養蠶已成繭織素猶在機新人應笑此何如畫蛾眉情深
詞婉出顧況之上又司馬禮送苗縱歸紫邏山居曰汝上
多奇山高懷愜淸境自來干名地冠帶不能整嘗言夢歸
處泉石寒逾靜鶴聲夜無人空月隨松影今朝拋我去春
物傷明景悵望相送還微陽在東嶺此詩格逸氣淸在晚
唐時亦爲秀出七古吾取張佖春晚謠曰雨微微煙霏霏
小庭半拆紅薔薇鈿箏斜倚畫屏曲零落幾行金雁飛蕭
關夢斷無尋處萬疊春波起南浦淩亂楊花撲繡簾曉窗
時有流鶯語此詩猶有飛卿餘豔然此等詩不過如啼花

嬌鳥蓄沼文魚以言博大雄奇概未之見

學古詩者當從五古入手五古當以漢魏爲宗學近體者當從五律入手五律當以三唐爲主唐代諸家各體互有短長至五律則無人不工降而晚唐尙多名作摘其佳句以爲鍊字鍊句之式李杜另見

雲霞出海曙梅柳渡江春　樹樹皆秋色山山惟落暉
野人相問姓山鳥自呼名　海日生殘夜江春入舊年
野含時雨潤山雜夏雲多　日落江湖白潮來天地青
大漠孤煙直長河落日圓　興闌啼鳥換坐久落花多
草枯鷹眼疾雪盡馬蹄輕　夕陽連雨足空翠落庭陰
微雲淡河漢疎雨滴梧桐　山光悅鳥性潭影空人心
時有落花至遠隨流水香　柳塘春水漫花塢夕陽遲

石梁高瀉月　樵路細侵雲　暖風抽宿麥　清雨捲歸旗
壁空殘月曙　門掩候蟲秋　老至居人下　春歸在客先
一葉兼螢度　孤雲帶雁來　鵲驚兼葉墮　螢遠入煙流
雞聲茅店月　人跡板橋霜　澗水呑樵路　山花醉藥闌
懸燈千嶂夕　卷幔五湖秋　春潮平島嶼　殘雨隔虹蜺
萍皺風來後　荷喧雨到時　少孤爲客早　多難識君遲
野渡花爭發　春塘水亂流　石梯迎雨潤　沙井帶潮鹹
池光不受月　野氣欲沉山　江山九秋後　風物六朝餘
苦調琴先覺　愁容鏡獨知　晴虹橋影出　秋雁櫓聲來
天勢圍平野　河流入斷山　燈影秋江寺　篷聲夜雨船
野橋連寺月　高竹半樓風　家貧僮僕慢　官罷友朋疏
荒城背流水　遠雁入寒雲　爐煙添柳重　宮漏出花遲

風兼殘雪起河帶斷冰流　勁風吹雪聚渴鳥啄冰開

古壁燈薰畫秋琴雨慢弦　露索秦宮井風弦漢殿箏

江海三年客乾坤百戰場　渚煙空翠合灘月碎光流

白日自朝暮紅塵無古今　空掩一庭竹去看何寺花

萬影皆因月千聲各爲秋　風暖鳥聲碎日高花影重

以上數十聯清奇濃淡無美不備拈出之以爲初學程式若欲求其格律神韻氣魄則須將全篇熟讀精思由中唐以進窺盛唐但斤斤於鍊字鍊句則落晚唐家數矣

七律之體至唐而始盛爲之工者氣體高華格調響亮雜端莊於流利含剛健於婀娜斯爲盡七律之能事盛唐則王岑高李接軫聯鑣少陵出而堂廡彌形闊大中唐則大歷十才子抽妍騁祕義山出而組織更極精工晚唐專工

琢句鍊字而詩格漸卑矣今錄唐人七律佳句畧以時代先後爲次少陵義山另見 雲裏帝城雙鳳闕雨中春樹萬人家 九天閶闔開宮殿萬國衣冠拜冕旒 花迎劍珮星初落柳拂旌旗露未乾 河山北枕秦關險驛路西連漢時平 萬里寒光生積雪三邊曙色動危旌 片石孤雲窺色相清池皓月照禪心 平江渺渺隨人遠落日亭亭向客低 細雨濕衣看不見閒花落地聽無聲 家散萬金酬士死身留一劍答君恩 幽溪鹿過苔還靜深樹雲來鳥不知 曙色漸分雙闕下漏聲遙在百花中 繞郭煙嵐新雨後滿山樓閣上燈初 深秋簾幙千家雨落日樓臺一笛風 煙開鰲背千尋碧日浴鯨波萬頃金 金爐香動螭頭暗玉佩聲來雉尾高 天上玉書傳詔夜陣前

金甲受降時　一院落花無客醉五更殘月有鶯啼　絲
飄弱柳平橋晚雪點疎梅小院春　詞客有靈應識我霸
才無主始憐君　溪雲初起日沈閣山雨欲來風滿樓
病中送客難爲別夢裏還家不當歸　蟬聲驛路秋山裏
草色河橋夕照中　殘星幾點雁橫塞長笛一聲人倚樓
芰荷香繞垂鞭袖楊柳風橫弄笛船　細水浮花歸別
浦斷雲含雨入孤村　謀身拙爲安蛇足報國危曾捋虎
鬚　鶴盤遠勢投孤嶼蟬曳殘聲過別枝　孤嶼池痕春
漲滿小闌花韻午晴初　得劍乍如添健僕亡書久似憶
良朋　野廟向江春寂寂古碑無字草芊芊　春風鸞鏡
愁中影明月羊車夢裏聲　芳草有情皆礙馬好雲無處
不遮樓　秋涼霧露侵燈下夜靜魚龍逼岸行　牆頭細

雨垂纖草水面迴風聚落花　遙知楊柳是門處似隔芙蓉無路通　朝廷有道青春好門館無私白日閒　青草浪高三月渡綠楊花撲一溪煙　薜荔惹煙籠蟋蟀芰荷翻雨潑鴛鴦　蜀魄叫回芳草色鷺鷥飛破夕陽煙　銀燭樹前常似晝露桃花下不知秋　以上所錄諸聯晚唐反較初盛爲多然取全篇相較則入選者少矣病在先得佳句而後成篇如鷺鷥飛破夕陽煙水面迴風聚落花芰荷翻雨潑鴛鴦綠楊花撲一溪煙等句皆刻意煉成對句已不免偏枯矣

詩至五絕純乎天籟寥寥二十字中學問才力俱無所施而詩之眞性情眞面目出矣王摩詰理兼禪悅李青蓮語雜仙心自足冠絕百代此外如崔國輔之朝日照紅妝柳

宗元之千山鳥飛絕劉長卿之蒼蒼竹林寺韋應物之遙知郡齋夜金昌緒之打起黃鶯兒崔顥之君家何處住李商隱之向晚意不適賈島之松下問童子王建之寥落古行宮李端之開簾見新月太上隱者之偶來松樹下皆妙絕古今

嚴滄浪曰詩者吟咏性情也盛唐詩人惟在興趣羚羊掛角無跡可求故其妙處瑩澈玲瓏不可湊拍如空中之音相中之色水中之月鏡中之象言有盡而意無窮愚謂嚴氏此論不啻專爲七絕說法五絕純乎天籟七絕可參以人工二十八字中要使篇無累句句無累字篇若貫珠句若綴玉意貴含蓄詞貴婉轉鸞簫鳳笙不足喻其音之和也明璫翠羽不足喻其色之妍也煙綃霧縠不足喻其質

之輕也荷露梅雪不足喻其味之淸也有唐一代名作如林姑就耳目之前世所傳誦者妄爲品藻李白之清平調淸新婉麗樂而不淫王昌齡之長信秋詞第三首西宮春怨敦厚溫柔怨而不怒言閨襜之思則王昌齡之閨怨張仲素之秋閨詞第二首寫邊塞之況則王翰王之渙之涼州詞李益之受降城聞笛弔古則李白之蘇臺劉禹錫之石頭城杜牧之泊秦淮懷舊則溫庭筠之贈彈箏人張祜之雨霖鈴李洞之繡嶺宮詞傷離則賈島之渡桑乾韋莊之古離別怨別則許渾之謝亭鄭谷之淮上旅思則張繼之楓橋夜泊李陟之宿武關投贈則朱慶餘之上張水部高蟾之上高侍郞含思悽婉則溫庭筠之瑤瑟怨杜牧之江南春寄韓綽判官託意深遠則韓翃之寒食李商隱之漢宮

詞寄情閒適則司空曙之江村王駕之社日詠事則杜牧之赤壁李商隱之賈生體物則陸龜蒙之白蓮此皆千古絕唱旗亭風雪中聽雙鬟發聲足令人回腸蕩氣也

宋初詩人尚沿中晚唐格律歐梅出而唐音漸變蘇黃出而宋體始成論者每祖述三唐卑視兩宋然觀元人學中晚唐而失之纖穠明人學初盛唐而失之膚廓反不若宋人之杼軸性靈自成宗派矣此編不及唐以後詩非敢有所軒輊也特以自宋迄今幾及千年集部浩如煙海著錄既廣甄采尤難學者先宗仰唐賢取法乎上譬猶求珠於玄圃采玉於崑山博覽兼收請俟異日

或謂此編所采錄者多戶誦家弦之作不能別啟新知獨標神解烏足爲奇應之曰古人集中好詩大抵爲後人選

出詩中好句大抵爲後人摘出清詞麗句光景常新綴之爲千金之裘采之即百花之蜜若鑿險縋幽自矜創獲反恐走入魔道矣此編以采選佳句爲主中間議論間有與前人相合者當日隨手纂錄不必皆出心裁今亦不復別擇搜剔述而不作聊取自娛

雲邁詩話附錄讀宋人詩偶有所見記之簡端掇拾之得十餘則附錄於後

王禹玉上元應制詩曰雪消華月滿仙臺萬燭當樓寶扇開雙鳳雲中扶輦下六鰲海上駕山來鎬京春酒霑周宴汾水秋風陋漢才一曲昇平人盡樂君王又進紫霞杯華貴莊重有初唐風格宋人應制詩以此爲第一

晏元獻寓意詩曰油壁香車不再逢峽雲無跡任西東梨花院落溶溶月柳絮池塘淡淡風幾日寂寥傷酒後一番蕭索禁煙中魚書欲寄何由達水遠山遙處處同此眞善學三十六體者劉錢諸公不及也

東坡七古自是宋朝第一手如健鶻摩空駿馬注坡無不達之詞不盡之意吾所選讀者石鼓游金山寺武昌西山游道場山何山煙江疊嶂圖和蔣夔寄茶游徑山孫莘老

求墨妙亭詩臘日游孤山雪浪石海市古纏頭曲宿蟠龍寺諸作讀之胸次暢然覺山谷詩不免傚作七律生氣遠出化去對偶排比之迹筆力意境爲唐人所未到微嫌出筆太快乏簡練名貴之致耳

道光以來詩宗宋體前有曾湘鄉之學黃後有張廣雅之學蘇（廣雅早歲學唐晚年學宋）二公名位勢力俱足奔走一世門生故吏承其衣鉢轉相傳授遂成道咸後之詩派然湘鄉學黃獨得雄直之氣廣雅學蘇別具博雅之才自非餘子所及

風光錯綜天經緯草木文章帝杼機蜂房各自開戶牖蟻穴或夢封侯王黃流不解浣明月碧樹爲我生涼秋山圍燕坐圖畫出水作夜窗風雨來澗松無心古鬚鬣天球不琢中粹温落木千山天遠大澄江一道月分明此山谷句

法也桃李春風一杯酒江湖夜雨十年燈在詩爲正宗在山谷反爲別調

放翁詩自以七律爲最勝篇什亦最多趙甌北詩話采摘七律佳句至百數十聯近人李蒓客日記中所采亦數十聯今再就趙李所采並參以愚見選出數十聯此誠鍊後之精金琢成之美玉也　奴愛才如蕭穎士婢知詩似鄭康成　吏進飽諳箝紙尾客來苦勸摸牀稜　秋風棄扇知安命小炷留燈悟養生　性本自然非截鶴器非大任愧函牛　文詞博士書驢券職事參軍判馬曹　此身幸已脫虎口有手但堪持蟹螯　國家科第與風漢天下英雄惟使君　偶亡塞馬寧非福太察淵魚恐不祥　名酒過於求趙璧異書渾似借荆州　佛書恐非易論語王迹

其在詩春秋　客散茶甘留舌本睡餘書味在胸中　未忘麈尾清談興尚讀蠅頭細字書　大事豈堪重破壞窮人難與共功名　四海道途行大半百年光景近中分　酒甯剩欠尋常債劍不虛施細碎讐　樓船夜雪瓜州渡鐵馬秋風大散關　千艘銜雪函關曉萬竈連雲駱谷秋　天下可憂非一事書生無地效孤忠　門無客至惟風月案有書存但老莊　外物不移方是學俗人猶愛未爲詩　客從謝事歸時散詩到無人愛處工　花經風雨人方惜士在江湖道益尊　目前雖有小得失天下豈無公是非　雲埋廢苑呼鷹地雪暗荒郊射虎天　攫飯饑烏占寺鼓避人飛鼠上經幢　山縈細棧疑無路樹絡崩崖欲壓人　殘燈無燄穴鼠出槁葉有聲村犬行　小樓一

夜聽春雨深巷明朝賣杏花　重簾不捲留香久古硯微凹聚墨多　霜野草枯鷹欲下江天雲濕雁相呼　天宇淡青成卵色水波微皺作靴紋　細徑僧歸雲外寺疏燈人語酒家樓　瓶花力盡無風墮爐火灰深到曉溫　屏閣燕几成山字簟展涼軒作水紋　古琴百衲彈清散名帖雙鉤搨硬黃　白菡萏香初過雨紅蜻蜓弱不禁風

黨禍本從名輩出弊端常向盛時生　遠聞佳士輒心許老見異書猶眼明　正欲清言逢客至偶思小飲報花開

江山重複供經眼風雨縱橫亂入樓　旋烹鱟栗留僧話故種芭蕉待雨聲　靜喜香煙縈曲几卧驚玉子落紋枰　尋碑野寺雲生屨送客谿橋雪滿衣　紅錦織綾夸柿葉青旗沽酒趁梨花

劉後村之詩格不甚高而有雋語意不甚深而有眞趣如野老話桑麻皆歸實在如樂師評竹肉漸近自然在南宋詩家中足以別樹一幟

紀文達灤陽銷夏錄載李芳樹刺血詩曰去去復去去悽惻門前路行行重行行輾轉猶含情含情一回首見我窗前柳柳北是高樓珠簾半上鉤昨爲樓上女簾下調鸚鵡今爲牆外人紅淚沾羅巾牆外與樓上相去無十丈云何咫尺間如隔千重山悲哉兩決絕從此終天別別鵠空徘徊誰念鳴聲哀徘徊日欲晚決意投家返手裂湘裙裙泣寄藁砧書可憐帛一尺字字血痕赤一字一酸吟舊愛牽人心君如收覆水妾罪甘鞭箠不然死君前終勝生棄捐死亦無別語願葬君家土儻化斷腸花猶得生君家此詩

兩句一轉韻一句一轉意纏綿悱惻可泣鬼神六代三唐
亦尠此作可見詩文出於眞性情者非時代所能限也
宋人五言佳句　野水無人渡孤舟盡日横　山勢蜂腰
斷溪流燕尾分　峰多巧障日江遠欲浮天　一鳩鳴午
寂雙燕話春愁　竹疏煙補密梅瘦雪添肥　驚蟬移古
樹門雀墮寒梅　磬斷蟲聲出峰迴鶴影沈　殘月楚山
曉孤煙江廟春　片月通蘿徑幽雲在石牀　洗硯魚吞
墨烹茶鶴避煙　萬國無刑治三邊不戰平　竹風驚夜
鶴潭月戲春魚　圭竇先知曉盆池別見天　野水多於
地春山半是雲　山靜似太古日長如小年　麥天晨氣
潤槐夏午陰清　梅花過嶺路桃葉渡江船　雨密絲桐
潤潮平釣石沈　雨砌墮危芳風簾納輕絮　醉輕浮世

事老愛故鄉人　鳥歸花影動魚沒浪痕圓　笠重吳天
雪鞋香楚地花　水光先見月露氣早知秋　五更千里
夢殘月半城雞　雨餘山欲近春半水爭流　楝花來石
首穀雨熟櫻桃　水禽多雪色野館忽秋聲
宋人七言佳句　梨花院落溶溶月柳絮池塘淡淡風
已定復搖春水色似紅還白野棠花　樓臺冷落收燈夜
門巷蕭條掃雪天　野色更無山隔斷天光常與水相連
令嚴鐘鼓三更月野宿貔貅萬竈煙　水暖鳧鷖行哺
子谿深桃李卧開花　水隔淡煙疏柳寺路經微雨落花
村　瓶添澗水盛將月衲挂松枝惹得雲　園林換葉梅
初熟池館無人燕學飛　客子光陰詩卷裏杏花消息雨
聲中　日上故陵煙漠漠春歸廢苑水潺潺　奇材劍客

當前隊麗賦騷人載後車　雪意未成雲着地秋聲不斷
水連天　金鑾後記人爭寫玉署新碑帝自題　滄波萬
古流不盡白鳥雙飛意自閑　草色引開盤馬路簫聲吹
暖賣餳天　月從雪後皆奇夜天到梅邊有別春　愛敬
古梅如老友護持新筍似嬰兒　春煙寺院敲茶鼓夕照
樓臺卓酒旗　柔桑蔽野鳴雛雉高柳含風變早蟬　嶺
雲夏變梅蒸早越雨秋藏桂蠹多　亞夫金鼓從天落韓
信旌旗背水陳　背日流泉成凍早逆風歸鳥赴巢遲
含風廣殿聞棋響度日長廊轉柳陰　支枕星河橫醉後
入簾風絮報春深　幽花避日房房斂高樹含風葉葉涼
　白髮餘春能幾醉綠陰細雨不多寒
子規啼徹四更時起視蠶稠怕葉稀不信樓頭楊柳月玉

人歌舞未曾歸此宋謝枋得蠶婦吟也視王建當窗織聶夷中田家詩語較含蓄而意味深長余謂宋人七絕當以此爲壓卷此外如春陰垂野草青青時有幽花一樹明晚泊孤舟古祠下滿川風雨看潮生蘇子美竹外桃花三兩枝春江水煖鴨先知蔞蒿滿地蘆芽短正是河豚欲上時東坡尋眞誤入蓬萊島香風不動松花老采芝何處未歸來白雲滿地無人掃魏仲先石梁茅屋有彎碕流水濺濺度兩陂晴日煖風生麥氣綠陰幽草勝花時介甫乳鴉啼散玉屏空一枕新涼一扇風睡起秋聲無覓處滿階梧葉月明中劉武子綠槐夾道集昏鴉勑使傳宣坐賜茶歸到玉堂淸不寐月鉤初上紫薇花周子充南浦春來綠一川石橋朱塔兩依然年年送客橫塘路細雨垂楊繫畫船范石湖亭亭畫舸繫

春潭直待行人酒半酣不管煙波與風雨載將離恨過江南張文潛綠遍郊原白滿川子規聲裏雨如煙鄉村四月閒人少纔了蠶桑又插田趙紫芝以上諸絕皆有中晚唐風調如疏梅半萼照水自妍脩竹數竿倚風獨立雖非高格自是雅音

近代詩家祖宋祧唐肥醲既厭則春韭秋菘亦稱佳味其始一二名公提倡於上後進尋聲逐影於是西江一派久據壇坫唐音絕響幾三十年然楚謠漢風既非一骨偏勝則弊久王必衰論者以末流之失訶及初祖過矣竊謂詩文所貴在一眞字情眞景眞理足意足自能吐棄凡近卓然名家不必塑李杜而鑄蘇黃也

微波榭詞選書後　苓泉居士輯

庚午九秋樊樊山先生來津下榻於雲在山房夜闌談藝因出微波榭詞選示余曰吾少年習聞李越縵譚復堂諸先生緒言又以宛鄰詞選取材太隘乃取南北宋名家詞補選四百二十餘首都爲一編另出心裁不拘俗論略同嗜芰未及災梨吾子詞學精進鍥而不舍足以名家願以是編爲贈余受而卒業因演繹先生平日論詞宗旨參以鄙見題於簡末

先生論詞於北宋則推清眞於南宋則推白石故是編錄白石詞最多清眞次之外此則小山淮海碧山玉田梅溪竹屋夢窗草窗諸家所采較多自序謂已見宛鄰詞選者不錄錄其未收者大抵各家名篇多入詞選此編未收非

删削也

東坡天分高絕落想運筆往往出人意表不可方物然餘技爲詞時有不經意處絃誦之篇宛鄰已選此編僅補選一首　蘇詞空靈高妙處雖淸眞白石亦不能到後人炫博好奇妄爲詮釋如乳燕飛詞則以官妓事實之卜算子詞則以溫女事實之幾乎句句皆有本事而意味索然矣

毛馳黃曰詞之妙處不在豪快而在高健不在豔冶而在幽咽稼軒得之故於縱橫豪宕之中仍具綺豔芊綿之致於倚聲家別立一宗譬諸詩家淸眞爲浣花稼軒則靑蓮也名作如摸魚兒念奴嬌賀新郎滿江紅祝英臺近永遇樂諸闋已入宛鄰詞選故此編僅選三首　辛詞擬諸詩家則嗣宗之詠懷太冲之詠史伯玉太白之古風也

論者卿詞者每以纖俗少之然如楊柳曉風之句關河殘照之吟融景於情實爲絕唱外此不乏名章未可與山谷同類並譏也

夢窗奇思麗采騰天潛淵而學者易失之晦澀質實是編錄夢窗詞皆取其綺密而爽朗者宛鄰錄夢窗詞甚少故是編補選較多

讀碧山詞便覺玉田不免描畫夢窗不免飣餖

詩詞皆重意境然意境如何方算得高如何方算得深鏤心鳥跡之中織詞魚網之上人或不解幷我亦不能自喻霞朝星晚酒熟香溫若有清思一縷出自迷離惝怳之中翔於杳冥寥廓之表來不知所自去不知所之此種境界實在語言文字之外選詞者祇能求諸語言文字之中至

意境則緣情感事觸緒橫生身世不同哀樂自異千載後知人論世雖能冥契終隔一塵　意境高者如重光小山淮海錦心繡口絕世聰明東坡如飛天仙人足不履地

有清一代詞家源流升降頗與唐詩相類明代詞學中衰至清而始振其初皆以南唐北宋爲宗猶初唐之沿齊梁餘綺也竹垞其年崛起爲兩大宗猶盛唐之有李杜也常州派寄託高遠浙西派刻鍊生新猶詩之有中唐也中唐以降詩分二派一爲元白一爲溫李清季之詞亦分二派一派學玉田猶詩家之元白也一派學夢窗猶詩家之溫李也玉田才淸而學者易失之平直夢窗思綺而學者易失之晦澀必也以玉田之清才兼夢窗之綺思由此以進窺周姜旁通蘇辛上追南唐北宋斯詞家之能事盡矣

調有南北之分字有陰陽之別不明此理雖拘定萬氏詞律戈氏詞韻按譜照塡入歌喉時仍多鉤棘如白石疏影詞北字與玉宿等字同押戈氏因將北字補入沃韻不知此調乃白石自製曲字字當以南音入律不但北字應作逋沃切也吳歈楚些各操土風豈能專以中州音韻爲準耶

吾郡當乾嘉之時人文最盛各種學問俱成宗派謹守師承余早歲學詞老輩即授以宛鄰詞選心摹力追至今不能脫其窠臼近代詞派爭尙夢窗思路幽邃組織精工足矯平直庸濫之弊而於古人一唱三歎之意則漸微矣余晚學夢窗終覺不類蓋非筆性所近且有先入者爲之主也

吾鄉嘉道間詞家以楊伯夔顧兼塘兩先生爲最過雲精舍詞奇逸古豔似在拜石山房之上夔生先生所撰詞品十一則蓋繼頻伽而作者錄之以供詞家之紬繹

第一輕逸　悠悠長林濛濛曉暉天風徐來一葉獨飛望之彌遠識之自微疑蝶入夢如花墮衣幽弦再終白雲逌希千里飄忽鶴翅不肥

第二獨造　萬山巑巑迴風盪寒泱背千仞飲雲口端龍之不馴口之無湍畸士羽衣露言雷喧洞庭隱鱗蒼梧逸猿元氣分變創此奇觀

第三淒緊　送君長往懷君思深白日欲曛池臺氣陰百年寸暉徘徊短吟松篁幽語獨客泛琴聆彼七弦瀟湘雨音落花辭枝淒入燕心

此編蓋本半塘漚尹兩先生之詞派發揚而光大之揭櫫
重拙大三字爲詞苑別立一宗承學之士奉爲瓣香遂成
近日之詞派然重之要旨當如行萬斛舟帆隨柁轉不善
學之則猴騎土牛矣拙之要旨須如奇石古梅有磊砢嶔
崎之致不善學之則爲疥駱駝矣大之要旨須有精意眞
氣貫注其中不善學之則如五石之瓠矣夫重拙大所以
救輕巧纖之病也然救輕之失而變爲笨滯救巧之失而
變爲艱澀救纖之失而變爲廓落偏勝而弊更甚焉是在
善學半塘漚尹者　季刊後　跋詞學

庚午小陽月

雲適漫錄

壺公題

修竹吾廬主人自敘　楊宗濟用舟著

余家累世儒素五世祖若干公由博學鴻詞入翰林名高而宦不達高祖補亭公曾祖映紳公潛德弗曜祖考桂巖公清望重於時官蘇州府學教授先考覺先公以進士起家宰山左有惠政祀肥城名宦配先妣侯太夫人是生我兄弟五人余以道光壬寅七月二十四日生生而世父菊人公愛之遂以爲後始先大夫微時設帳里中館穀不足以贍事畜太夫人晝庀家政夜分篝鐙紡績余輩授書其旁且績且課機聲與書聲相和也洎先大夫登第挈家之官山左始師族祖安愚先生授經傳余天資頗鈍而昕夕劬學先大夫顧喜之曰此讀書種子也夜則引余稱述古今賢豪將相以至遊俠奇怪之事幷教以春秋三傳戰國

縱橫短長之書意氣差廣矣年十二操管爲文先大夫指授義法心輒開悟聞喜爲古文詩詞先大夫弗與也令讀朱子近思錄及東林顧高諸先生書勉以居敬主靜之學丙辰冬隨太夫人歸里師虞先生賡颺任先生春溪專治舉子業己未七月先大夫棄養於濟南聞變星奔扶櫬歸葬逾年庚申值洪楊之亂嗣考菊人公妣杜太恭人先後殉難寇踞邑城夜掠四鄉伯兄藝芳仲兄霖士叔兄藕芳張民團與角輒勝余與季弟望洲幼不任兵事奉太夫人居江陰南鄉河塘橋晝偕傭保雜作夕則篝鐙對讀不知身在戎馬間也尋常昭陷亂益棘舉室避之上海又轉徙嘉定伯兄如皖乞師隨今相國李公東下仲叔兩兄竝佐戎幕江左郡縣次第恢復甲子亂平始奉太夫人歸里兵

燹之後舊廬悉燬乃移居城西大成巷新第乙丑縣試冠軍受知於鑲黃宜春宇先生補博士弟子員明年歲試第一食餼旋以軍功保授訓導加五品銜賞戴花翎自丁卯以後角逐名場者十餘年七試棘闈累薦未售己卯選授溧陽縣訓導學舍處城東偏近闤闠而地頗爽塏衙齋二十餘楹歲久漸圮稍稍葺治與諸生講藝其中齋前老槐一株古柏千尺暑月清陰滿牖几簟皆涼偏西隙地數弓雜蒔花木蔬果手自灌植冷官無事終日擁書長哦竟忘身在城市中也甲申夏五月張恭人以急疾卒於署時枏兒甫入泮得報僅三日也傷哉恭人以甲子春來嬪性賢孝余疏懶不任家事米鹽淩雜筦籥出內悉恭人任之時質簪珥以彌其缺不以告余至是始有兒女晨昏之累矣

時太夫人春秋高多病余間月必謁假歸省以爲常辛卯七月爲余五十誕治觴前半月得孫景杰九月枏兒提京兆試壬辰冬十月太夫人棄養余先假歸侍湯藥得親視含殮初太夫人夙好施嘗斥千金權子母以備義舉親族之無嗣者春秋爲司祭掃培其陁塋而植其仆碑皆命余董其事病前一月呼余至榻前條議義莊塾章程旁採成規屬草以呈奉慈示裁定稾甫成而疾亟矣痛哉余涉世早見仕宦中勢利氣燄攀援陵競之習自揣愚拙不能隨俗圜轉故服闋後即絕意仕進生平體幹素豐中歲以思慮過耗夜不成寐二十年來在睡鄉時絕少丁亥送試金沙中途覆舟落水遇救自是左臂常作痠痛兩手顫搖漸至不能握管公私函牘悉口授兒女輩書之癸巳春始得

肝疾比歲益劇前年足蹶虛腫仲兄藥之而愈去夏染瘧經月始痊秋冬咳甚損肺今春遂得咯血之症年未六十頹然已如七八十老翁白頭手足惟我早衰伯兄季弟遠宦晉黔恐一旦奄先草露便當長訣私心恨恨惟獨此耳

余吶於口雖僮僕不能加譴訶橫逆之來忍不敢校退而自傷其拙然亦以是得長厚聲自奉甚約生產雖薄而常若有餘年來婚嫁累多治生不善始有積逋自念苜蓿冷官本無餘財尙賴先人遺蔭昆季友愛免於寒餓斯已幸矣復何戚戚哉枏兒年已及壯便可付以家政苟非大事勿以關吾子孫有田可耕有書可讀無慕榮利而墜素風圖翁曰讀書者不賤守田者不飢積德者不傾擇交者不敗旨哉斯言可爲韋佩往嘗慕天隨子桑苧翁之風夙疾

稍瘳便當結廬湖山之間栽花一庭種竹千竿攬雲壑之奇致探煙霞之幽趣愉神悅影以終餘年斯願足矣少時喜爲歌詩戊寅己卯間省伯兄於鄂幕中名士多詩酒之會嘗遊赤壁涉湘江泛雪於洞庭觴月於黃鶴樓當是時意興最豪題詠亦最富晚歲喜耽元覽遂廢著述今所存者文三十餘首詩五卷生平心血惟此在矣付子孫藏之勿以飽鼠蠹也

修竹吾廬主人自序一首爲 先大夫所著侯君伯文已選入梁溪續文鈔中今雲邁漫錄印成乃以此序冠諸簡端昭示子孫毋忘彝訓 楊壽枏謹識

雲薖漫錄卷上

苓泉居士輯

張文端公聰訓齋語洞悉物理人情無學究家頭巾氣先大夫最喜其四語曰讀書者不賤守田者不饑積德者不傾擇交者不敗於所作自序中引之平日嘗舉此四語以教子弟余年十三四歲卽喜讀是編迄今四十餘年常置案頭生平持身涉世皆得力於此蓋非獨進德之資亦可爲養心之助如布帛菽粟終身用之而不盡也　呂新吾呻吟語張圃翁聰訓齋語至理名言宜書紳銘几

陳眉公曰掃地焚香清福已具有福者佐以讀書無福者便生妄想余最喜此數語然人必處此清境得此暇日乃能讀書則擾擾百年中享此福者鮮矣余仕宦數十年未嘗一日釋書不觀每至極繁冗極疲勞之時手執一卷則

[illegible]

百慮胥捐形神俱適雖逆旅之內公廨之中亦必攜書數册以資消遣蓋嗜好所在不啻蠲忿之名花忘憂之美酒也

花得月而韻竹得風而逸山得松而幽石得苔而古人得書卷氣則性情自然瀟灑心理自然和平氣韻自然清華室廬自然精雅

余三十歲以前志在科名所讀之書不過訓詁詞章期於爭長應世而已入仕以後簿領勞形此事幾廢然每遇勞擾煩懣之時偶一展卷如遇故人身心閒適今年已五十幸得退休淨几明窗焚香啜茗溫習少時所讀經史尋繹旨趣味美於回始覺從前記誦涉獵於身心毫無益處彼醉心名利炳燭夜行者無怪其終身不知書中樂趣也

王巖叟著韓魏公別錄云凡人語及其所不平則氣必動色必變辭必厲惟公不然更說到小人忘恩負義欲傾己處辭和氣平如說平常事蓋幾於犯而不校者矣余謂翻雲覆雨利盡交疏本小人之常態而爲君子者或嫉惡太嚴責善太過剛腸盛氣令人難堪積釁成仇反顏相噬彼雖負德我亦寡情苟容以大度處以平心天下無不可解之寃亦無不可平之忿矣　果能絕口不談更是聖賢第一等學問此等境地雖魏公亦尙未逮

中庸之道重在素位而行素富貴則鼎食鐘鳴而不爲泰素貧賤則羸馬敝車而不爲辱若公孫宏之布被脫粟王安石之囚首垢面均是不近人情

牧齋有反東坡洗兒詩云坡公養子怕聰明我被癡獃誤

一生還願生兒獃且巧鑽天驀地到公卿此憤激之詞也古今來成大事立大節之人皆須帶三分癡獃氣若一味獃巧則鶩名噉利吮癰舐痔無所不爲矣牧齋晚節正爲聰明所誤若黃石齋劉念臺瞿稼軒諸君子正牧齋所笑爲癡獃者也

余少時立志謂丈夫必求自立不仗　祖宗門蔭不藉祖宗產業故弱冠後即槖筆出遊所攜者不過書籤衣笥行李一肩而已三十年來飽嘗艱苦名宦粗成生計粗足一絲一粟一壠一廛皆辛勤積累所得至南中田產所入無多即以周親族之貧者他日仍以　祖宗之產遺諸子孫吾無與焉香山詩曰朝露貪富貴夕陽憂子孫茫茫宦海看破者能有幾人余宦情已淡精力漸衰不復爲子孫

作牛馬所望兒輩敦品讀書卓然自立勿染紈袴奢華之習墮我素風也訓子書

立品　立身以孝弟爲本治家以勤儉爲先待人宜和靄處事宜精詳心地光明風度華貴氣識沈靜言動安詳聰明太露非載福之基意氣太盛非保身之道

讀書　學堂中以西文科學爲重然中學切不可荒廢余所選古文果能熟讀揣摩便足應用歷史以通鑑及宋元通鑑明紀爲本讀史時於歷朝治亂得失及名賢言行皆宜著眼以爲持躬經世之用

擇友　能立品讀書者便是良友宜敬而親之其輕躁浮華陰險卑鄙之人萬不可近然不可露鄙薄之意或以言語譏誚致招怨忌凡小人不可作緣亦不可得罪世路險

巇人情變詐宜謹防之

保身　謹寒暖愼飲食節嗜欲讀書時用心不可太過體操時用力不可太過人生自十五六歲至二十餘歲身體正在發育之時最宜寶貴異日以此身成大學問建大事業皆基於此論語曰父母惟其疾之憂以父母之心爲心當知保身爲第一義（以上四則皆訓子書）

澹泊以明志寧靜以致遠開誠布公集思廣益我心如秤不能爲人作輕重諸葛公一生得力此數語余終身佩之汝輩立身處事皆當以此爲座右銘（訓子書）

士大夫歸田後小築園亭爲娛老計亦常事耳若因問舍求田而搆訟風斯下矣余歸地於侯氏讓地於學堂正欲以忠厚貽汝曹耳林亭大詩曰何事紛爭一角牆讓他三

尺又何妨長城萬里今猶在不見當年秦始皇眞有德之言也訓子書

憂與樂盛衰之本勤與惰成敗之原廉與貪得失之林寬與虐恩怨之府靜與躁壽夭之徵忍與激安危之券謙與盈禍福之門敬與肆存亡之界此數語看似常談而聖賢學問豪傑事功皆出其中矣訓子書

凡讀書明理之人自然氣象高華性情和靄吐屬風雅舉止從容如威鳳祥麟人必愛而敬之反是則爲鄙陋爲谿刻爲狂躁爲輕佻如盜泉惡木人必畏而避之持身當以此爲法戒擇友當以此爲去取訓子書

余少時作制藝記有數語曰小人未嘗無才其才適足以濟惡小人未嘗無學其學適足以文奸三十年來閱歷人

情世事見近世之所謂人才者非不才辯縱橫智略輻湊究其實則鶩名嗽利一患得患失之鄙夫而已葢文章學問正用之則爲君子誤用之則爲小人兩觀之誅四夷之屏正爲此輩也

翟公榜門數語說盡千古世態然余謂此等賓客本是齷齪小人如蠅逐臭如蟻附羶勢盛則來勢衰則去原無足異翟公所言猶不免世俗之見若王司徒門無雜賓不與此等小人作緣平日門庭如水何致因貴賤而始知交態哉

水至淸則無魚人至察則無徒我欲儉而望人人爲顏回原憲我欲廉而責人人爲史雲范丹此不可得之事也君子整躬率屬上者化之以德使有所愧而不肯爲次者威

之以法使有所畏而不敢爲然此等作用須在政治清明之日若叔季時代一君子孤立爲眾小人所忌勢將設計以污其節興謗以敗其名必使飲狂藥酌貪泉而後快當此之時祇能嚴以律己寬以繩人介以持躬和以接物必不得已甯潔身以避腥羶之俗勿以清標傲骨而爲眾怨所叢磽磽易缺皦皦易污古人之所戒也

漢之管幼安晉之陶靖節宋之邵堯夫品格如白鶴朱霞氣象如光風霽月其好處全在率眞

東京廚顧競號清流而扶炎鼎者乃在高臥草廬之名士南宋諸儒高談性理而赴國難者乃在滿堂聲妓之文山是知抱遠志者其器識必淡泊寧靜立大節者其胸襟必俊偉光明

節儉一端不但可以裕財惜福寡欲淸心且免妄求橫取人品賢否每系乎此

事能知足心常泰人到無求品自高此聯余終身誦之然到此境地亦正不易儒者所以宜知治生也

屠龍之技學成而無所用不龜手之藥購以百金是知技無論大小學無論高下以趨時適用爲貴

讀書以經史爲本讀經當求精義讀史當知大事若考据詞章無益於身心無裨於民物作爲第二步可也

阮文達公曰世人讀書每矜一目十行之才余哂之夫必十目一行始是眞能讀書文達天才而所言如是知讀書貴精貴熟而不貴速矣

讓雖美德亦有分際人唾吾面而拭之可也聽其自乾不亦

過乎以此術治身猶可若以治國則國勢必弱民氣必靡南宋時割地納幣獻表稱臣而不以爲恥此之謂懦非讓也必如文帝之柔南粤斯謂之仁武侯之和東吳斯謂之智漢之避楚越之奓吳斯謂之勇有智仁勇而能讓斯謂忍小忿以成大謀非包羞蒙恥之謂也武后時酷吏羅織師德身兼將相憂讒畏譏不得不爾然而鄙矣

治國以農桑爲本治家以耕織爲先吾家累世仕宦子弟不復知犂鋤穮蓘之勞余幼隨　先公至鄉間往往與田夫野老咨晴雨問桑麻覺湻樸之風去人不遠　祖母侯太夫人　先母張太夫人躬率婢嫗紡績以至酒漿醯醢之事皆手自料理機聲燈影光景如在目前也

凡少年人之心思智力不能無所寄寄於善則善寄於惡

則惡子弟幼時卽須範之以禮法治之以詩書使壹志學問之中無暇馳心於外務故成材後上之足以棟國次亦足以幹家反之則嗜欲萌於中紛華誘其外放僻邪侈無不爲矣

教育人才奬誘之功倍於督責曾文正公與許仙屏學使書曰米湯如醍醐之灌頂高帽如神山之冠鰲昔胡文忠以此法誘掖將才今閣下以此法誘掖諸生何患人才不勃然奮興語似詼諧然此老平生用人實得此訣

父子之間不可過寬亦不宜過嚴過寬之弊夫人而知之矣每見人家之於子弟束縛甚嚴重足而立屏氣而伺家庭之中如處桎梏一日離側如出籠之鳥入水之魚無所忌憚雖有邪侈之行他人以其家法之嚴也不敢告語由

束縛而生隔閡由隔閡而生欺罔由欺罔而造成譸張匪僻之才此過嚴之弊也夫禁之勿爲小人何若勉之使爲君子撫之以恩裁之以義平日循循善誘一言一動納之於學問禮法之中使欣欣向榮改過遷善而不自覺何至責善而賊恩哉吾讀張文端公聰訓齋語其教子也如良師如慈母足以爲法矣

韓魏公在政府家有女樂二十餘輩及崔夫人亡一日盡厚遣之同列多勸其且留爲暮年歡公曰所樂幾何而嘗令人心勞孰若吾簡靜之樂也吾深味簡靜二字之妙終身不置妾媵迄今年逾六十氣體强固家庭雍肅絕無誶誶之聲皆得力於魏公語也

人家之興衰視後起人才之賢否其興也子弟多聰秀英

敏之才一家之中恂恂孝謹和氣盎然其婦女亦皆溫良貞淑入其門則庭宇整肅階除潔淸自有一種興旺氣象及其衰也子弟不肯嚮學婦女不能治家富者驕奢貧者媮惰入其門無人門焉者登其堂則牆棟隳剝草萊不翦雞栖設於階下雀糞佈於庭中令人淒神寒骨不能久坐余每過戚友之家以此卜其興衰十不爽一

人禀五行之氣性各有所近條暢近木堅剛近金發揚近火流動近水厚重近土五行以土爲君五性以厚重爲貴四者過之不爲所制卽爲所用人具此性者必能成大事業且深沈安固而鮮禍敗賢人君子得五者之一養而充之皆可成能小人則私意乘之陰氣蒙之雖有此性終於牿亡而已此則就呂叔簡語擴充之

司馬溫公爲相每詢士大夫私計足否賈內翰廷試第一往謝杜祁公公獨以生事有無爲問許魯齋亦以儒者不可無生計誠以衣食不足安肯爲朝廷而輕去就又恐進退爲稟祿所拘縱或讀書談道而事畜皆艱終紛心志堅忍淡泊固是第一要義而不有致生之術轉慮有失其生平者此中消息非貪夫所知亦非矯廉者所解也 玉井山館筆記

張敬夫嘗言平生所見王荆公書皆如大忙中寫不知公安得有如許忙事此雖戲言然實切中其病今觀此卷因省平日得見韓公書蹟雖與親戚卑幼皆端嚴謹重略與此同未嘗一筆作行草勢蓋其胸中安靜詳密雍容和豫故無頃刻忙時亦無纖介忙意與荆公之躁擾急迫正相反也書札細事而於人之德性甚相關有如是者 朱文公跋韓魏

公帖

黎愧曾曰人有一點之怨於我我必欲報而曾不思人欲報我之怨者不知其幾也我有一點之恩於人便欲人報我而曾不思我未報人之恩不知其幾也按人能常體會此言自可以收懲忿窒慾之益凡可以招人之怨者皆不肯爲凡可以受人之恩者益知所愼矣

申凫盟荆園小語云士君子所至務使人人因我而樂勿使人人因我而不樂因我而樂則視我如景星慶雲因我而不樂則視我如疾風苦雨黃香石曰此邵堯夫所以可愛非淟涊隨俗之謂也

蘇門孫徵君鍾元題壁云人生最繫戀者過去最希冀者未來最悠忽者現在此三語眞世人藥石也

天下事必一一責報必有大失所望之時佛氏因果之說不可盡信亦有有因而無果者憶蘇子瞻詩云治生不求富讀書不求官譬如飮不醉陶然有餘歡吾更爲添數語云治生不求富讀書不求官修德不求報爲文不求傳譬如飮不醉陶然有餘歡中含不盡念欲辯已忘言（曾文正公日記）

有蓋寬饒諸葛豐之勁節必兼有山巨源謝安石之雅量否則磽磽易缺適足以取禍也雅量雖由於性生亦恃學力以養之惟以聖賢律己躬自厚而薄責於人則度量自閎矣（同上）

一年有可惜事春不藝蘭夏不賞荷秋不采菊冬不尋梅

一生有可惜事幼無名師長無良友壯無善事老無令名

貧賤人可惜者二而承唾爲求利膝生胝爲求榮富貴人

可惜者二臨大義沮於吝荷重任敗於貪聰明人可惜者三妄議議謂之薄自炫奬謂之驕懷憤激謂之躁豪俠人可惜者三助兇人得暴名揮泛財得敗名納庸客得濫名史梧岡西青散記

刻於已爲儉儉於人爲刻人知儉與刻之分其於涉世也過半矣　人不可作無益事不可爲無益語不可用無益錢　言人過於君子之前何益言人過於小人之前有禍　士大夫不可無憂國之心不可有憂國之言言發於外人以爲謗矣不可無濟物之志不可有濟物之名名彰於外求之者眾矣退菴隨筆

前人所書楹帖云世事洞明皆學問人情練達即文章余喜讀先正格言以其於世事人情閱歷親切言之有味也

洪應明所著菜根譚語語平實有理趣而無理障玆擇其精粹者若干條記錄於下以當座右銘

以積貨財之心積學問以求功名之念求道德以愛妻子之心愛父母以保爵位之策保國家出此入彼念慮只差毫末而超凡入聖人品且判星淵矣人胡不猛然轉念哉

士君子之涉世於人不可輕爲喜怒喜怒輕則心腹肝膽皆爲人所窺於物不可重爲愛憎愛憎重則意氣精神悉爲物所制　酷烈之禍多起於玩忽之人盛滿之功常敗於細微之事故語云人人道好須防一人着惱事事有功須防一事不終　仇邊之弩易避而恩裏之戈難防苦時之坎易逃而樂處之阱難脫　邀千百人之歡不如釋一人之怨希千百事之榮不如免一事之醜　物莫大於

天地日月而子美云日月籠中鳥乾坤水上萍事莫大於揖遜征誅而康節云唐虞揖遜三杯酒湯武征誅一局棋人能以此胸襟眼界吞吐六合上下千古事來如漚生大海事去如影滅長空自經綸萬變而不動一塵矣　廉官多無後以其太清也癡人每多福以其近厚也故君子雖重廉介不可無含垢納汚之雅量雖戒癡頑亦不必有察淵洗垢之精明　帆只揚五分船便安水只注五分器便穩如韓信以勇略震主被擒陸機以才名冠世見殺霍光敗於權勢逼君石崇死於財賦敵國皆以十分取敗者也康節云飮酒莫教成酩酊看花愼勿至離披旨哉言乎樂意相關禽對語生香不斷樹交花此是無彼無此的眞機野色更無山隔斷天光常與水相連此是徹上徹下的

眞境吾人時時以此境象注之心目何患心思不活潑氣象不寬平　耳中常聞逆耳之言心中常有拂心之事纔是進德修行的砥石若言言悅耳事事快心便把此生埋在鴆毒中矣　路徑窄處留一步與人行滋味濃的減三分讓人嗜此是涉世一極樂法　攻人之惡毋太嚴要思其堪受教人以善毋過高當使其可從　處治世宜方處亂世宜圓處叔季之世當方圓幷用待善人宜寬待惡人當嚴待庸衆之人宜寬嚴互存　氣象要高曠而不可疏狂心思要縝緻而不可瑣屑趣味要沖淡而不可偏枯操守要嚴明而不可激烈　炎涼之態富貴更甚於貧賤妬忌之心骨肉尤狠於外人此處若不當以冷腸御以平氣鮮不日坐煩惱障中矣　士君子處權門要路操履要嚴

明心氣要和易毋少隨而近腥羶之黨亦毋過激而犯蜂蠆之毒　世態有炎涼而我無嗔喜世味有濃淡而我無欣厭一毫不落世情窠臼便是一在世出世法也　蓋世的功勞當不得一個矜字彌天的罪過當不得一個悔字　事事要留個有餘不盡的意思便造物不能忌我鬼神不能損我若業必求滿功必求盈者不生內變必招外憂　憂勤是美德太苦則無以適性怡情淡泊是高風太枯則無以濟人利物　富貴家宜寬厚而反忌刻是富貴而貧賤其行如何能享聰明人宜斂藏而反炫耀是聰明而愚懵其病如何不敗　完名美節不宜獨任分些與人可以遠害全身辱行污名不宜全推引些歸己可以韜光養德　以上均菜根譚

養生自以絶欲爲第一義然少壯之年誠難言之且不求嗣續即講閉房亦不可爲訓吾儒平實之方在節欲而已昔董子言治身者以積精爲寶身以心爲本精節於其本則血氣相承受而形體無所苦故君子甚愛氣而謹遊於房新壯者十日而一遊於房中年倍新壯始衰者倍中年中衰者倍始衰大衰者以月當新壯之日而上與天地同節矣退菴隨筆以下言保身

養生家言散見於諸書中有愈淺而愈適於用者如素問云聖人不治已病治未病列仙傳引封衡語云體欲常勞食欲常少勞勿過極少勿過虛博物志云所食愈少心愈開年愈益所食愈多心愈塞年愈損應璩詩云上叟前致辭室內嫗麤醜中叟前致辭量腹節所受下叟前致辭夜

卧不覆首淸異錄云梳頭洗脚長生事臨卧之時小太平千金方云口中言少心中事少腹中食少自然睡少依此四少神仙訣了又云寢卧不得多言笑譬五臟如鐘磬不懸則不可發聲達生錄云怒後不可便食食後不可發怒黃庭內經云髮宜多梳齒宜多叩液宜常嚥氣宜常練手宜在面此五者所謂子不欲死修崑崙也同上

伊川先生曰吾受氣甚薄三十而寖盛四十五十而後完今生七十二年矣較其筋骨於盛年無損也若人待老而求保生是奢靡而後蓄積雖勤亦無補矣

養生之道視息眠食四字最爲要緊息必歸海視必垂簾食必淡節眠必虛恬歸海謂藏息於丹田氣海也垂簾謂半視不全開不苦用也虛謂心虛而無營腹虛而不滯也

謹此四字雖無醫藥丹訣而足以卻病矣曾文正公日記
延命錄曰飲以養陽食以養陰食宜常少亦勿令虛不飢
强食則脾勞不渴强飲則胃脹飽食勿仰卧食後勿就寢
春冰未泮宜下厚上薄養陽收陰大暑中脫汗衣不可向
風冬天急脫急着綿衣勿頓加稍覺煖又宜暫脫古語云
北人不脫不着南人頻脫頻着
大飽傷脾大飢傷胃久視傷血久卧傷氣久立傷骨久行
傷筋久坐傷肉

雲薖漫錄卷下　　苓泉居士輯

仲長統樂志論曰使居有良田廣宅背山臨流溝池環匝竹木周布場圃築前果園樹後舟車足以代步涉之艱使令足以息四體之役養親有兼珍之膳妻孥無苦身之勞良朋萃止則陳酒肴以娛之嘉時吉日則烹羔豚以奉之躕躇畦苑遊戲平林濯清水追涼風釣遊鯉弋高鴻諷於舞雩之下詠歸高堂之上安神閨房思老氏之玄虛呼吸精和求至人之仿佛與達者數子論道講書俯仰二儀錯綜人物彈南風之雅操發清商之妙曲逍遙一世之上睥睨天地之間不受當時之責永保性命之期如是則可以凌霄漢出宇宙之外矣豈羨夫入帝王之門哉

吳均與顧章書曰僕去月謝病還覓薜蘿梅谿之西有石

門山者森壁爭霞孤峯限日幽岫含雲深谿蓄翠蟬吟鶴唳水響猿嗁英英相襍緜緜成韻既素重幽居遂葺宇其上幸富菊花偏饒竹實山谷所資於斯已辦仁智所樂豈徒語哉

白香山池上篇云十畝之宅五畝之園有水一池有竹千竿勿謂土狹勿謂地偏足以容膝足以息肩有堂有庭有橋有船有書有酒有歌有弦有叟在中白鬚飄然識分知足外無求焉如鳥擇木姑務巢安如蛙居坎不知海寬靈鶴怪石紫菱白蓮皆我所好盡在吾前時飲一杯或吟一篇妻孥熙熙雞犬閒閒優哉游哉我將老乎其間此公胸次超曠詩亦多閒適之作每誦此篇輒覺天空海闊萬象在旁余世故飽嘗宦情爛熟亦欲營履道之宅優游終老

平其間

名臣錄云邵康節居洛四十年自號安樂先生旦則焚香獨坐晡時飲酒三四甌微醺便止有詩曰斟有淺深存燮理飲無多少係經綸莫道山翁拙於用也能康濟自家身大寒暑則不出每出乘小車用一人挽之又詩曰花似錦時高閣望草如茵處小車行

羅景倫曰余家深山之中當春夏之交蒼蘚盈堦落花滿徑門無剝啄松影參差禽聲上下午睡初足旋汲山泉拾松枝煮苦茗啜之隨意讀周易國風左氏傳離騷太史公書及陶杜詩韓蘇文數篇從容步山徑撫松竹與麛犢共偃息於長林豐草間坐弄流泉漱齒濯足既歸竹窗下則山妻稚子作筍蕨供麥飯欣然一飽弄筆窗間隨作大小

數十字展所藏法帖墨跡畫卷縱觀之興到則吟小詩或草玉露一兩段再烹苦茗一杯出步溪邊邂逅園翁溪友問桑麻說秔稻量晴較雨探節數時相與劇談一晌歸而倚杖柴門之下則夕陽在山紫綠萬狀變幻頃刻恍可入目牛背笛聲兩兩歸而月印前溪矣

蘇子美云此雖與兄弟相遠而伏臘稍足居室清寬耳目清曠不識機穽三商而眠高舂而起淨院明窗之下羅列圖史琴樽以自娛興至則泛小舟出盤閶二門吟嘯覓古於江山之間渚茶野釀足以消憂蒓鱸稻蟹足以適口又多高僧隱君子相遊從甚樂家有園林珍花奇石曲沼高臺魚鳥流連不覺日暮

慕眞山人有如意曲云前生夙債今生了願他生一世逍

遥有椿萱齊眉偕老有壎篪握手陶陶妾美妻賢孫慈子孝不攻苦科名偏早不導引壽算偏高儘揮霍家資未耗合門無病百歲如年少親友都教温飽湖山居勝地花月選良宵游也麽遨況園林最好水竹更清寥聚商彝周鼎法書名畫天下推精妙作詩賦美人手鈔寫丹青粉侯臨稿掌圖籍小史苗條玉管清歌金樽檀板消受閒曹紗帽文人韻士四海盡知交小試牛刀口碑載道招邀踐九州登五嶽有十萬纏腰且喜長途無盜柔櫓風平如鏡波澄畫舫輕橈旅舍絶塵囂捲湘簾珠圍翠繞待學倦飛歸鳥有孤寒八百別淚齊拋五百年昇眞入道在梅花深處在蓮花深處在桃花深處建個新祠廟是佳人才子纔許把香燒果然如願也不枉紅塵走一遭此等福命古今有幾

吳康齋曰南軒讀孟子甚樂綠陰淸晝薰風徐來而山林閒寂天地自闊日月自長邵子所謂心靜方能知白日眼明始會識青天於斯可驗

董香光曰氣霽地表雲斂天末洞庭始波木葉微脫春草碧色春水綠波送君南浦傷如之何四更山吐月殘夜水明樓海風吹不斷江月照還空宋畫院各有試目思陵嘗自出新意以品畫師余欲以此數則徵名手圖小景然少陵無人謫仙死文沈之後廣陵散絕矣奈何

鄭板橋曰江雨初晴宿煙收盡林花碧柳皆洗沐以待朝暾而又嬌鳥喚人微風疊浪吳楚諸山青蔥明秀幾欲渡江而來此時坐水閣上烹龍鳳茶燒夾剪香令人吹笛作落梅花一弄眞是人間仙境也

惲南田曰深林積翠中置谿館爲千崖瀑泉奔雷回旋其下常如風雨隱隱可聽墨華蒸鬱目作五色欲墜人衣呼黃竹黃子同遊於此掇拾靑翠招手白雲不必藐姑汾水之陽然後樂而忘天下也

又曰湖中半是芙蕖人從綠雲紅香中往來時天雨後無纖埃月光湛然金波與綠水相涵恍若一片碧玉琉璃御風行天水間卽拍洪厓遊汗漫未足方其快也

又曰淸夜獨倚曲木牀著短袖衫子看月色在梧桐篁篠間薄雲掩過之微風到竹衣上影動此時令人情思淸宕紛慮蹔忘人生魚魚鹿鹿好景娛閒一歲不過八九日耳偶然得之不應復以後來之日長而當面錯過也

明劉念菴有沈醉東風詞云東華路塵沙滾滾玉河橋車

馬紛紛官高休羨榮命蹇須安分靠青山緊閉柴門閒把英雄細討論能幾個到頭安穩又一闋云門巷外旋栽楊柳池塘中新浴沙鷗半灣水繞村幾朵雲生岫愛村居景致風流閒啜盧仝茗一甌醉翁意何須在酒本朝鄭板橋有道情歌中一闋云老書生白屋中說黃虞道古風許多後輩高科中門前僕從雄如虎陌上旌旗去似龍一朝勢落成春夢倒不如窮鄉僻巷教幾個小小蒙童皆富貴場中一服清涼散也粟香隨筆

倪雲林有匡廬晴曉圖自題小詞云春渚芹蒲秋郊梨棗西風沃野收紅稻簷前炙背媚晴陽天涯轉眼凄芳草魯望漁村陶朱煙島高風峻節今如掃黃雞啄黍酒醪香開門迎笑東隣老又題畫詩曰蕭蕭風雨麥秋寒把筆臨摹

強自寬賴有山妻能解事竹肪筍脯勸加餐誦此輒憶江鄉風味

養德宜操琴鍊智宜彈棋遣情宜賦詩輔氣宜酌酒解事宜讀史得意宜臨書靜坐宜焚香醒睡宜啜茗體物宜展畫適境宜按歌閱候宜灌花保形宜課藥隱心宜調鶴孤況宜聞蛩涉趣宜觀魚忘機宜飼雀幽尋宜藉草淡味宜掬泉獨立宜望山閒吟宜倚樹清談宜翦燭狂嘯宜登臺逸興宜投壺結想宜欹枕息緣宜閉戶探景宜攜囊爽致宜臨風愁懷宜佇月倦遊宜聽雨元悟宜對雪辟寒宜映日空累宜看雲談道宜訪友福後宜積善　此條不記出處少時喜其雅雋錄入劄記

歐陽公云秋霖不止文書頗稀叢竹蕭蕭似聽愁滴蘇公

云歲云暮矣風雪淒然紙窗竹屋燈火青熒時於此間得少佳趣王漁洋最喜此數語蓋清曠寂寥風味與漁洋詩境相合也

古琴銘云山虛水深萬籟蕭蕭古無人蹤惟石嶕嶢此數語清虛古淡深得琴趣詩家詣此者陶靖節畫家詣此者倪雲林也

作詩文須有我在讀詩文亦須有我在處喪亂之時而讀杜工部之詩值滄桑之後而讀遺山梅村之詩自然感慨蒼涼百端交集若在承平時代則無病而呻矣昔白香山推服劉賓客沈舟側畔千帆過病樹前頭萬木春之句趙飴山歎爲有道之言王漁洋則云我所不解蓋飴山以演劇罷官一蹶不振其身世適與劉同漁洋則雍容廊廟平

步公卿未嘗歷病樹沈舟之境也

大明湖爲濟南第一名勝全湖面積居省城三分之一今則大半爲居民所佔領藕塘菱渚罫畫縱橫無復煙波浩渺之趣然風荷曲院煙柳平隄山翠當屏湖光若鏡風景瀟洒如在畫圖余嘗以秋夜汎舟登歷下亭過鐵公祠素月橫空凉波繞檻萬籟俱寂一塵不生眞飄飄乎有羽化登仙之致

萬壑樹參天千山響杜鵑山中一夜雨樹杪百重泉化工之筆當以米家墨戲寫之

洞庭之月廬阜之雲峨嵋之雪錢塘之潮岱頂之日鄧尉之梅黃海之松皆天下之奇觀勝境然相隔均在千百里外不能收歸几案輒思徵名手圖諸屏障以當卧遊而世

無倪黃文沈誰爲我驅使煙雲者

園亭種植花木位置適宜則益增韻態梅高士也宜水邊照影巖曲橫枝菊壽客也宜籬畔滋培齋頭供養牡丹富貴護以瓊砌雕闌海棠華豔綴以文軒網戶蘭庋風亭香清而益遠梨開月榭色淡而彌妍種桃別塢爛若緋霞植桂重巖霏如金粟石榴山茶宜映碧窗茉莉素馨宜處繡闥芭蕉障窗薔薇倚籬芰荷繞水亭藤蘿掩山徑均有天然位置若雞冠秋海棠雁來紅之類牆陰庭角點綴秋容太多則雜平章花史亦具經綸至於栽翦攓插古各有方取以考月令辨土宜亦幽人之務也題花鏡後

琴聲古宜松下高齋梅邊小榭焚香操縵令人塵慮都消簫聲幽宜梧桐月下楊柳風前悽咽纏綿迴腸蕩氣笛聲

清宜高秋月明倚百尺樓頭臨風三弄裂石穿雲笙聲和宜披羽衣戴華陽巾登宏景三層閣答鸞吟鶴唳磬聲遠宜空山月白古寺煙青冷然一聲頓醒塵耳箏聲豔宜美人坐玉梅花下挑銀甲搊冰弦爲周郎勸酒琵琶聲靡宜伎堂張讌令席上雙鬟慢撚輕攏謳竹枝水調筑聲激宜酒酣耳熱擊節倚歌泄烈士胸中不平氣鼓聲雄宜如禰生着岑牟單絞作漁陽摻淵淵有金石音角聲壯宜黃雲古戍白草窮邊月夜聽之使壯士拊劍征夫垂涕聲音之道最易感人然亦宜與境地性情相合如使晝堂鳴角佛寺彈箏猛士吹笙美人擊筑亦復有何趣味題樂器譜後

春初早韭秋末晚菘古人稱爲佳品余生平食品喜清淡而厭肥甘甯可一日無肉不可一日無菜唐子畏愛菜歌

曰我愛菜我愛菜傲王侯欺鼎鼐多吃也無妨少吃也不礙古之聖賢多從這裏過是以造到熟境界南山芝也在西山薇也在四皓與夷齊有菜不肯買菜兮菜兮士知此味學業成農知此味倉廩盈工知此味技藝精商知此味貨殖贏但願人人知此味莫教此色到蒼生余喜誦之因屬劉寄漚爲圖寫此詩於左他日歸田後灌畦治圃雨餘綠潤霜後紅腴從此飲風露餐煙霞不復羨八珍五鼎矣

北地之樹經霜而紅者爲楓櫟苞櫥柹杏棃楂之屬其紅也大抵在霜降以後立冬以前每屆秋深入西山觀紅葉者節屐相屬無異花時己巳九月二十六日偕董季友林貽書子有白栗齋蔭北兄出西直門三十里而至祕魔崖時過霜降甫五日林巒峭碧霜葉已丹山中人言獅子窩

風景尤勝乃乘籃輿入山行七八里遙見明霞如綺掩映於嵐翠之間則獅子窩也至則楓櫟數百株高下錯列明若火齊豔若丹砂日華籠罩其上都含奇采巖左有亭館爲前清菓宮監所築廊榭半傾倘可坐憩徙倚徘徊至日西趣貽書先歸余五人迂道游龍泉寺復返祕魔崖宿於袁滌庵之別業明日詣戒壇十里渡渾河又十里至馬鞍山麓雙厓夾立中闢小徑盤旋迤邐而上峯迴路轉奇境忽開錦樹琪柯藻巖繡谷丹黃紫翠五色交輝十里而至戒壇寺在山凹疊嶂環抱如屏風九曲雲錦燦然寺門俯倚絕壑如望海底珊瑚島夕陽倒射成金碧氣東望谷口則石景如案渾河如帶隱現於殘霞落日之中誠勝觀也不知妙峯潭柘視此何如與獅子窩相較彼則明豔秀靚

如宋元人工筆着色絹素此則如北苑大癡長卷奇麗中具蒼雄之致余語粟齋歸而圖之當有煙霞之氣拂拂從十指出也

解組以來案無簿書門無雜賓俯仰嘯歌蕭然自得擬仿白香山之法以一日分爲五時晨起散步園亭課奚奴洒掃三徑灌花蒔竹禺中展玩法書名畫弄筆晴窗隨意作草書數十字閱經史百家硏朱點校午後焚香垂簾靜坐片刻取唐宋說部及近人筆記閱之倦則淨展桃笙抛書午睡日晡幅巾杖屨閒步林塘或訪二三知己棋枰茗椀論古談今歸而翦燈窗下讀李杜白蘇詩興至或自詠短章吟風弄月山妻稚子笑語一室二鼓後就寢一枕華胥魂恬夢適誠香山所謂是非一貫身世相忘者矣

自古經生多壽考書畫家亦多享大年蓋經生性情淡定志慮專精涵泳於書卷之中非七情六欲所能擾書畫家則以翰墨爲性命烟霞爲供養塵慮淡而道心生故皆足爲致壽之券也

哀逝過舊游處惘亂說太平事垂老憶新婚樂花發向陌頭長別皆人生不堪回首之境尤難堪者遺老弔故國河山商婦話當年車馬更令人俯仰身世蒼涼欲絕詩文至此亦感均頑豔矣

人生擾擾多爲名利二字名利一淡看得天下事皆鏡花水月矣不作詩文自是養心之法第精神才力必有所寄上者道德文章次者山水花竹下者聲色貨利僕道德固不配言聲色貨利本非所嗜游山水又乏足力惟文字花

竹聊以消遣暮年若又將文字屏去則性情無所寄與朋好周旋亦復了無意趣矣竊謂吟風弄月本以陶寫性情若存好名之心便不免有狗人之見甚至鏤肝劌腎行吟憔悴眞東坡所謂詩囚矣我輩不能焚棄筆硯以後與之所至偶吟一篇總以閒適沖淡爲主靖節蘇州不敢望香山放翁吾之師也（與丁闇公書）

馮山公與弟書自言有十幸一大不堪僕自數生平亦有七幸一不堪生於湖山之郡長於詩書之家幸一白首相莊黃嬭爲伴幸二有子有孫紹我書香幸三官至卿貳五十後卽返休優游林下幸四年已六十健康無病幸五舉家溫飽俯仰無憂幸六庭有花木室有圖書足以娛老幸七所不堪者以遲暮之年値亂離之世耳（同上）

幽夢影一書爲張山來先生所著無字不香無語不雅每一展誦如噉佳果如對名花眞不厭百回讀也朱擷筠幽夢續影亦同是一副筆墨録其雋語以助茶餘之逸趣酒後之清談

花不可以無蝶山不可以無泉石不可以無苔水不可以無藻喬木不可以無藤蘿人不可以無癖　春聽鳥聲夏聽蟬聲秋聽蟲聲冬聽雪聲白晝聽棋聲月下聽簫聲山中聽松風聲水際聽欵乃聲方不虛生此耳若惡少斥辱悍妻詬誶眞不若耳聾也　鱗蟲中金魚羽蟲中紫燕可云物類神仙正如東方曼倩避地金馬門人不得而害之入世須學東方曼倩出世須學佛印了元　人須求可入詩物須求可入畫　藝花可以邀蝶壘石可以邀雲栽

松可以邀風貯水可以邀萍築臺可以邀月種蕉可以邀雨植柳可以邀蟬　才子而富貴定從福慧雙修得來値太平世生湖山郡官長廉靜家道優裕娶婦賢淑生子聰慧人生如此可云全福　養花膽瓶其式之高低大小須與花相稱而色之淺深濃淡又須與花相反　十歲爲神童二十三十爲才子四十五十爲名臣六十爲神仙可爲全人矣　由戒得定由定得慧勉强漸近自然鍊精化氣鍊氣化神淸虛有何渣滓　藏書不難能看爲難看書不難能讀爲難讀書不難能記爲難能記不難能用爲難有工夫讀書謂之福有力量濟人謂之福有學問著述謂之福無是非到耳謂之福有多聞直諒之友謂之福人莫樂於閑非無所事事之謂也閑則能讀書閑則能遊

名勝閒則能交益友閒則能飲酒閒則能著書天下之樂孰大於是　發前人未發之論方是奇書言妻子難言之情乃爲密友　花不可見其落月不可見其沈美人不可見其老　無益之施捨莫過於齋僧無益之詩文莫甚於祝壽　胸中小不平可以酒消之世間大不平非劍不能消也　梅令人高蘭令人幽菊令人野蓮令人淡春海棠令人豔牡丹令人豪蕉與竹令人韻秋海棠令人媚松令人逸桐令人清柳令人感　鳥聲之最佳者畫眉第一黃鸝百舌次之然黃鸝百舌世未有籠而畜之者其殆高士之儔可聞而不可屈者也　園亭之妙在邱壑布置不在雕繪瑣屑往往見人家園亭屋脊牆頭雕甎鏤瓦非不窮極工巧然未久即壞壞後極難修葺是何如樸素之爲佳

乎　情之一字所以維持世界才之一字所以粉飾乾坤
鏡不幸而遇嫫母硯不幸而遇俗子劍不幸而遇庸將
皆無可奈何之事也　吾家公藝恃百忍以同居千古傳
爲美談殊不知忍而至於百則其家庭乖戾睽隔之處正
未易更僕數也　笋爲蔬中尤物荔枝爲菓中尤物蟹爲
水族中尤物酒爲飲食中尤物詞曲爲文字中尤物　傲
骨不可無傲心不可有無傲骨則近於鄙夫有傲心不得
爲君子　蟬爲蟲中之夷齊蜂爲蟲中之管晏　觀虹銷
雨霽時是何等氣象觀風回海立時是何等聲勢　貪人
之前莫炫寶才人之前莫炫文險人之前莫炫識　花是
美人後身梅貞女也梨才女也菊才女之善文章者也水
仙善詩詞者也荼蘼善談禪者也牡丹大家之婦也芍藥

名士之婦也蓮名士之女也海棠妖姬也秋海棠制於悍婦之豔妾也茉莉解事之雛鬟也木芙容中年詩婢也惟蘭爲絕代美人生長名閥耽於詞畫寄心淸曠結想琴筑然而閨中待字不無遲暮之感優此則絀彼理有固然無足怪者　觀門徑可以知品觀軒館可以知學觀位置可以知經濟觀花卉可以知旨趣觀楹帖可以知吐屬觀圖書可以知胸次觀僮僕可以知器宇訪友不待親接言笑也　琴不可不學能平才士之驕矜劍不可不學能化書生之懦怯　憂時勿縱酒怒時勿作札　築園必因石築樓必因樹築榭必因池築室必因花　少年處不得順境老年處不得逆境中年處不得閑境　空山瀑走絕壑松鳴是有琴意危樓雁度孤艇風來是有笛意幽澗花露疏

林鳥墜是有筑意畫簾波漾平臺月横是有簫意清溪絮撲叢竹雪灑是有箏意芭蕉雨粗蓮花漏續是有鼓意碧甌茶沸緑沼魚行是有阮意玉蟲妥燭金鶯坐枝是有歌意　小園玩景各有所宜風宜環松傑閣雨宜俯澗軒窗月宜臨水平臺雪宜半山樓檻花宜曲廊洞房煙宜繞竹孤亭初日宜峯頂飛樓晚霞宜池邊小彴雷者天之盛怒宜危坐佛龕霧者天之肅氣宜屏居邃閣　富貴作牢騷語其人必有隱憂貧賤作意氣語其人必有異能　將營精舍先種梅將起畫樓先種柳　素深沉一事坦率便能貽誤素和平一事憤激便足取禍故接人不可以猝然改容持己不可以偶爾改度　有深謀者不輕言有奇勇者不輕鬥有遠志者不輕干進　冬室密宜焚香夏室敞宜

垂簾焚香宜供梅垂簾宜供蘭　貧賤時少一攀援他日少一掣肘患難時少一請乞他日少一疢心　舞弊之人能防弊謀利之人能興利以上均幽夢影

雲薖漫錄爲味雲先生所著雲在山房叢書之一種也先生爲當代政治家生平治箋奏草章制均已傳布海內所著詩文甚富多藏篋衍不輕示人庚申冬寓廬失愼所藏燼焉事後蒐羅憶錄僅得五卷爲顧君涵宇及國鳳所編定別有漫錄雜記二種則先生所手輯也同人屢請梓行先生重違衆意始允先以漫錄二卷付印上卷爲涉世持躬之準下卷爲怡情淑性之資無語不雋無字不雅每一展讀不啻噉佳果玩名花也乙丑秋國鳳歸自京師乃以仿宋刻聚珍板校印碎錦零璣未足饜閱者之目世有欲窺全豹造雲薖而踵請者乎不禁拭目俟之矣乙丑秋日

無錫許國鳳謹跋

庚午小陽月

覺夢齋雜記

壺公題

覺花寮雜記序

說部書蓋子史之別也宋人體例最善大而朝章國故小而文詞雜藝隨筆記載往往有益風教足備信史取裁者國初阮亭初白諸公纂錄所存猶具宋賢旨趣雍乾以後文網既嚴私家筆述尟涉朝政馴至季葉綱紀墮地莠言讕語蛙蟈雜鳴固無當於稗官并不足資譚柄識者深喟焉使無博雅君子從而操筆將來者奚觀味雲京卿久宦京朝就光緒中葉以來聞見所及事會所經輯為筆記四卷所列時政得失風尚淳漓旁逮俊流陶寫勝地標題及所自為名章雋句可法可鑑可愛可傳咸在焉聖塗間燕之談仲言揮麈之錄恍若遇之至其述祖德誦清芬則陸放翁家世舊聞尤司徒溪邊舊話茲驂靳矣滄流方亟

邪詖競張求一艮言善論渺不可得是編出頗幸說部再昌海內方聞當有欣然把卷且瞿然奮筆以興者他日求晚季故實能不推君爲先河耶東吳姜畬徐沅拜手題序

覺花寮雜記卷一

苓泉居士輯

余自庚寅入都浮沉人海三十餘年世運人才江河日下光緒中葉京朝官風氣淵雅猶有承平餘習所居皆在宣武城南衡宇相望曹務多暇互相過從流連觴詠斟酌圖史或僧寺看花或旗亭賭酒薄笨可以代步魚菽可以留賓俸入無多專恃印結費（外官赴部銓選皆須京官出結）月得數十金郎充然有餘士以科目而進官以資格而升故人人無儌倖之心愛名節而羞勢利辛丑以後舉行新政外務民政農工商郵傳各部次第增設升轉既速祿糈亦優於是貴介之子憑藉門蔭新學之士游揚聲譽一經調部無異登仙鑽營之竇既開結納之風日盛苞苴猥籍裘馬輕肥流品雜而吏道污京曹風氣乃一變矣有人改成語曰勵精圖

亂發憤爲雌下詔罪人破格用我雖戲語亦切中當日之病余素性不喜徵逐不善逢迎惟橐筆握算終日坐曹治文書草章奏由內閣中書考取商部主事五年而至參議然寮寀之騰達者或一歲而遷數官或一身而兼數職以余視之猶望塵不及矣

同光以來士習文風日趨庸腐翁文恭公潘文勤公始提倡古學收召名流朝士大夫咸講求經術詞章金石書畫互矜博雅場屋之文亦綺章琢句以瑰麗奧衍相尙而蛇神牛鬼遂雜出其間少年之士剽竊子史中奇字僻句自詡爲古錦囊中物至闈中則補綴成文輒弋科第以去聞某科中卷有所謂蠅鳴一堂螉飛八方（龔定庵集中句）又有所謂君子裸執眎若無蠹者可謂怪譎之尤矣文風既變世運

隨之今日人心之險詖士習之披猖皆當日所下種子亦翁潘兩公所不及料也試觀乾嘉極盛之時經術修明通儒輩出其文章皆昌明博大粹然一軌於正荀令講求科學亦必能脚踏實地融貫中西非若今世之新學家竊羅梭孟德斯鳩之緒餘遂囂囂然不可一世也

光緒初年士大夫鄙薄洋務在總理衙門行走者謂之洋章京目李文忠爲漢奸謗書盈篋建築鐵路之議辨難蜂起海軍經費大半用之頤和園工程日本則興學練兵造船購械陰謀伺釁而朝野懵然不知也甲午之役朝士攘臂主戰然承平已久淮軍將士多暮氣葉志超丁汝昌等奴隸下材濫膺專閫李文忠身爲統帥固難辭責而必誣以逆謀指爲通敵如御史安維峻之彈章則不免過當矣

余謂翁文恭師論及時事余曰將帥驕汰器械窳敝恐不任戰師蹙額不語及旅順失守京師震驚朝士紛紛遷徙向之主戰最烈者皆銷聲匿跡騎欵段出都門矣名士如畫餅信然

光緒三十四年乙巳六月十四日奉旨派鎭國公載澤尙書戴鴻慈侍郎徐世昌湖南巡撫端方商部左丞紹英等隨帶人員分赴東西洋各國考察政治議分兩路澤公徐侍郎紹左丞往日英法比戴尙書端中丞往美德俄意奧八月十九日啟節登車炸彈猝發澤公額角受傷紹左丞傷較重車內轟斃一人有識之者其名曰吳樾革命黨人也於是五大臣請展行期徐侍郎旋擢巡警部尙書紹左丞傷未愈乃改命尙方伯其亨李公使盛鐸爲澤公之佐

澤公先欲調余爲參贊以病辭至是紹左丞召余至醫院以澤公奉使重洋須得能員襄贊再三勸駕不能再辭乃派充二等參贊總辦文案十一月十五日隨節出都二十一日抵滬十二月二十日放洋至日本神戶登陸赴東京住芝離宮日皇之別宮也以澤公爲皇族故以上賓之禮待之留日本度歲丙午年正月二十日由橫濱登舟渡東太平洋半月而達美國之波星湯海岸改乘大北鐵路火車貫北美全部程幾萬里踰落機山過留特來河歷名城巨埠十餘處七日而抵紐約登舟渡大西洋八日而抵英之利物浦登陸至英京倫敦留一月三月杪赴法京巴黎越兩旬復回倫敦渡加法海峽而至比京留半月使事既畢遂由法之馬賽登舟航地中海紅海入蘇彝士河經印

度洋歷南洋新加坡各島以五月抵滬六月回京覆命是役也歷時二百日計程九萬里迎日晷而往環地球而歸舟車之日十有四考察燕酬之日十有六殊方暫稅重譯爲言謂能覘國而知其深誠不敢信然各國之內政外交法律財政教育實業軍備凡百榘度咸有成軌軺車所莅詢度諮謀彼國之通人博士各出所學以相餉遺參隨等削牘握鉛搜羅撰譯共得書四百餘種回京後編書於法華寺余任總纂芟其繁蕪掇其菁英共成書三十種恭撰提要進呈乙覽凡各國政教禮俗彼我之異同得失略具此矣若夫郵程所歷山川都邑名勝之蹟工商廠肆瑋詭之觀與夫彼都人士言論之可以甄采者均詳見於考察

政治日記

考察政治歸國始預備立憲廷議從釐訂官制入手特派鎮國公載澤及各部尚書北洋大臣袁世凱南洋大臣端方爲釐訂官制大臣孫慕韓寶琦楊杏城士琦周少樸樹模熙儁甫彥郭春榆曾炘曹潤田汝霖陸潤生宗輿汪袞父榮寶張仲仁一麐金伯平邦平趙仲宣從蕃嚴伯玉璩及余等十餘人隨同編訂於是改定官制設內閣總理一人協理二人分設九部曰外務部吏部民政部度支部陸軍部學部法部農工商部郵傳部部設尚書一侍郎二左右丞二左右參議二添設資政院集賢院審計院行政裁判院改禮部爲典禮院大理寺爲大理院裁撤工部及太常太僕光祿鴻臚各衙門袁項城議裁都察院余力爭曰臺諫之職總司風憲糾察官邪實爲漢唐以來之善制似

宜保存澤公亦語項城曰臺官彈劾不避權貴我輩不宜輕議乃止（項城爲總統後復設肅政使亦以此制爲善也）是時樞府中慶親王（奕劻）握重權瞿相國（鴻禨）與之抗督撫則袁慰廷制軍（世凱）爲慶派岑西林制軍（春煊）爲瞿派各樹黨援互相擠排臺諫上書亦黨同伐異澤公憤諸臣之結黨營私也乃令余草密奏痛言其弊末段有云盈廷聚訟黨見紛歧假立憲以粉飾虛文借改官制以驅除異己又云馴至臣民解體外侮生心使奸雄得藉以爲資而起皆實有所指也未幾瞿相罷斥大權乃悉歸於慶邸矣

戶部之權以北檔房爲最重司員中才望卓著者始派此差光緒末年改爲丞參廳設左右丞二（三品）左右參議二（四品）各司公牘先送廳核定准駁丞參畫諾然後呈堂丞參各

據一案外官以公事到廳者惟督撫則別室延見藩司以下旁坐而已宣統中澤公以貴冑爲尙書威權最重其人剛毅廉正不受請託親貴如洵濤樞臣如慶那亦憚其鋒稜度支部奏請之事內外官奉行惟謹故清理財政實行預算提陋規剔中飽嚴核浮濫雷厲風行節省至一萬萬元以上雖部臣疆吏不便所爲未有敢公然抗令者鼎革以後整理內外財政猶以宣四預算爲藍本袁項城置諸案頭手自批註嘗語余曰前清預備立憲惟度支部最有成績餘皆敷衍耳時部中司員以兼清理處差事爲榮公牘皆自辦不假手吏胥故非才不得入選民國以來居財政要職者半爲清理處舊僚也

會計之政歷代重之漢以張蒼爲計相主郡國上計唐之

元和國計簿宋之景德會計錄元祐會計錄皆爲世所稱前清財政官私著述亦多國初順康年間歲入僅三千餘萬兩雍乾嘉極盛之朝亦不過四千餘萬道咸以來驟增釐金洋稅捐輸等收入遂至六千餘萬光緒末年則至九千餘萬然僅以部庫表册爲根據至三十四年清理財政簡派監理官分駐各省調查於是外銷陋規和盤托出提歸藩庫而厚給外官津貼全國財賦之籍始總於京師是年奏報全國歲入遂增至二萬萬宣統元年則至二萬六千餘萬三年預算成立歲入一門計共三萬萬兩以上視開國時增至十倍矣而歲出一門乃至三萬七千餘萬兩蓋預備立憲國用驟增出入相差甚鉅於是裁浮費汰冗員嚴考成覈名實至編定宣四預算收支遂能適合然各省所編預

算入欵多隱漏出欵多浮濫部員主嚴核余曰操之過蹙轉生阻力水至清則無魚姑爲疆吏留餘地俟會計法金庫制度實行自就軌道矣故預算冊所列之數尙未確實再加綜核尙可節千餘萬也　各疆吏濫用外銷欵內而交結朝貴宮監陰樹黨援外而收買政客報館廣布聲氣如某督餽乾修四十萬某督贈報館二十六萬某撫私提二十萬焚燬冊籍查出後皆未參辦蓋入手時不敢過嚴且牽涉者多也若在雍乾朝必興大獄矣

余任度支部參議時尙書爲鎭國公載澤左右侍郎爲紹公英陳公邦瑞澤公剛嚴而能斷紹陳二公明練吏事皆倚重余長蘆運使出缺樞垣進單余名開列在前命下則簡放劉樸生同年鍾琳後乃知爲澤公召見時所保留也

樞府中人告余曰君勿望外任矣今日度農兩尚書余既召見力保君與趙劍秋留部升用故越次用劉也任清理財政處總辦預定程序期以六年竣事第一年調查全國財政令各省造送財政說明書民國初會付印第二年試辦各省預算令財政統一於藩司第三年試辦全國預算劃分國家稅地方稅第四年實行預算辦理決算第五年施行會計法金庫制度第六年各省設立財政司自此事權統一法制嚴明使全國財政如輻在轂如網在綱度支部通盤籌畫調劑盈虛而清理之事畢矣惜試辦三年僅成立預算劃分兩稅鼎革後所定計畫盡付東流今則財政雜糅征斂繁重政府恣其掊克計吏肆其侵漁國債增至十餘萬萬余所抱政策與時枘鑿不敢復談財政矣余於民國六年佐計歲入爲八千餘萬十一年復莅部則掃地無餘悉化爲公債抵押品矣

自前清宣統至今民國十三年預算案成立四次第一二次爲宣三預算宣四預算則余任度支部參議時所編定者也第三次爲民四預算則余任總統府財政會委員時所核定者也第四次爲民八預算則余任參議院財政股委員長時所核定者也內以宣四預算最爲詳覈惜逢鼎革未及實行

宣統辛亥八月武昌事起警報初至樞廷倉皇失措集議終日始令蔭午樓名昌時爲陸軍部尚書統兵出征籌備餉械擾攘五六日始成行而東南各省已紛紛響應矣袁項城內召朝野喁望以旋乾轉坤之任屬之朝士分君主民主二派君主派望其爲日本之德川民主派望其爲美之華盛頓入朝之日都人傾矚闐溢九衢始至以君主立憲爲標幟

宣誓告廟丰采毅然旋卽改組內閣收握政權宗旨漸變當是時張勳方固守南京馮國璋攻下漢陽架巨礮於龜山轟擊武昌唾手可得乃內閣忽下令馮國璋停戰又令張勳退出南京識者知大局不可爲矣遜位議起親貴中惟禮王澤公力持異議周子廙自齊訪余曰舉朝推袁而澤公力阻奈何余曰舉朝一致澤公何能爲曰此公爲監國所信任外人所推重舉足頗有重輕君盍密勸之余謝不敏未幾征鄂諸將倒戈犯闕議和專使力主共和電檄紛馳風鶴四警人心皇皇曹署星散度支部丞參四人辭職者三余曰淸室一日不亡當盡一日之職仍照常到部辦事獨支兩月至十二月二十五日下遜位之詔余已先一日請假出都矣

十二月初八日余在津門日正午有

白氣繞之如環長虹貫日而過占者以爲白虹貫日兵象也蓋海內洶洶自此始矣

丁巳四月段芝泉總理（祺瑞）下野北洋督軍團會議於津門勢甚洶洶黎黃陂不能制馭乃召張少軒（勳）入都靖變張爲北洋督軍之領袖而實忠於清室者也旣至解散督軍團改組內閣國會先已通過李仲軒丈爲國務總理兼財政總長未至余以次長主部務至是李總理亦來京就職國事稍定旋聞康長素劉幼雲等入都復辟風聲漸緊五月十二日江西同鄉讌張於會館（張爲江西奉新人）余扶病往陪少坐先行是日讌至夜分始散張歸寓後卽率兵入宮請 宣統帝復辟十三日宣布明詔百官入賀街市悉懸龍旗以本年爲宣統九年內自尙侍外自督撫以下皆恢

復舊官制以張勳王士珍梁敦彥陳寶琛劉廷琛袁大化爲議政大臣余病甚不能下榻部員就商進止余曰財政部繫軍警餉源曹司一散輦下人心搖動吾輩事務官但知爲國家辦事政體變革非所問也十四日奉旨授余爲度支部左侍郎張已代遞謝摺派許君造時來訪敦促視事余詢以起事情形各省有無異議許曰去年徐州會議北洋系將帥皆一致主張復辟立約簽名袍澤同心誓書具在決無中變越二日余病少瘳結束經手事即出都適數日復有署理尚書之命則已在津門矣馬廠兵起圍攻都城張僅擕衛隊三千人血戰兩日勢不支憤欲自裁左右掖之登車避居荷蘭使館復辟之役自此告終矣張爲人慷慨好義性情坦白功雖不成志實可敬余嘗詢康長

素曰君亦此中主謀者何當日草草乃爾康曰余主張虛君共和年號官制暫不變更人才新舊並用而同事諸人力爭須一切劃除聚訟盈廷以至於敗余曰此亦天命不能盡咎人事也　吾識康在甲午年時同赴公車聞其議論詭激不敢近自後亦不復見癸亥來津訪余始得傾談言復辟時所擬詔草一登極二定憲法三定國號爲中華帝國四開國會五保教六融化新舊果用吾議亦足杜反對者之藉口當日登極通電內名爲民國不知有民名爲國民不知有國等語爲人所傳誦者實陳弢仲毅所擬也

余任山東財政廳時政府銳意籌欵諸稅並行部檄嚴迫余上書政府略謂籌欵之法首須知民疾苦民間不苦稅率之重而苦稅目之繁常賦之中酌增十之一二隨帶徵

收吏不煩而民不擾若常賦之外別設種種雜稅官吏辦公紙墨之費胥役下鄉車船酒飯之費皆取給於民公中所入無多民間所費自倍請擇稅收豐富條目簡單者實力施行其他雜稅一切緩辦以甦民困部議允行計兩年之內經常歲入外增收至千餘萬民無怨聲課績遂爲各省之最　財政廳所辦驗契公債印花稅皆有獎金綜計不下六七萬向爲廳長所應得余以之獎勵各縣及本廳椽屬外尚餘二萬金呈部歸庫爲山東工振之用或曰此舉無益若用作餽獻應酬則聲譽鵲起矣余曰以民間之膏血供要路之苞苴吾不忍爲見智見仁各行其是而已

光緒癸未李文忠創設北洋武備學堂奏派　先伯父京卿公爲總辦諸生皆淮右將家子氣盈以囂不可羈縛公

壹以兵法部勒飲食教誨如子弟不率者施以鞭撻數年之中成材甚衆袁項城因之以成小站練兵之績民國以來勳閥彪炳號曰北洋派若馮總統國璋曹總統錕段總理祺瑞王總理士珍王巡使占元陳督軍光遠李督軍厚基段督軍芝貴李督軍純張總長懷芝劉總長恩源陸總長錦王將軍廷楨等擁旄鉞踐台鼎者不下數十人皆堂中高才生也然武烈既盛旗鼓漸分再傳弟子遂有直派皖派之別袍澤化爲戈矛頗爲世所詬病是知門戶異同之見不獨儒林也

袁項城初練新軍求才於　京卿公公薦段芝泉馮華甫王聘卿所謂學堂三傑也袁既得三人委以重任軍容精整遂成勁旅戊戌政變後創立武衛軍袁與聶忠節士成

同爲武衛軍統領袁駐小站聶駐蘆台時有善望氣者先至聶軍喟曰士氣皆墨恐難持久繼至袁軍則曰士氣甚旺卒伍中亦多將帥之才未可量也迨庚子之變聶忠節力戰捐軀一軍皆覆袁則自東撫移督直隸部曲皆秉旄鉞國變後北洋軍閥旌旗遍行省皆小站人才也望氣者之言驗矣然聶雖敗不愧忠義之軍也

余官北方久目睹民風呰窳生計日艱居恆私議欲北方之民無饑莫如興農田欲北方之民無寒莫如興紡織光緒壬寅草北洋興辦紡織議上諸當道未幾　先伯父京卿公由長蘆運使擢三品京堂督辦順直紡織以病歸未及舉辦越十五年余始偕建德周緝之總長學熙創設華新紗廠於天津唐山衛輝青島等處旋代棉業督辦數年

之間天津紗廠成立者六家晉豫遼魯相繼而起北方棉業蒸蒸日上蓋距創議時已二十年矣又議墾闢長蘆已廢鹽場約三百餘萬畝東自天津唐沽海口起西至灤州灤河開一幹河計百餘里需費百五十餘萬招商分設農墾公司開支河修溝洫植棉種稻計每年農產可收入三百餘萬誠百年之大利也終以國庫支絀未能舉行姑懸此議以俟來者民國初津海關棉花出口僅值十餘萬元近年已增至六千餘萬元為出口貨大宗

胡靳生中丞聘之官晉撫時規畫閎遠如修鐵路開煤礦創紡織興屯墾皆經國大計嘗邊屯墾疏尤為時傳誦畧謂晉邊伊昭克烏蘭察布二盟旗地川原饒沃水陸交通漢置朔方九原二郡唐置天雄定難諸軍有明至今稱為河套若北假臨沃之田受降豐州之地備載往籍歷稱上

腴自來保障幷雍經營朔漠者靡不措意於此臣博採輿
論體察邊情知固圉開屯為方今第一要務約舉其利蓋
有四端邊外廣漠無垠無險可扼昔之勃勃元昊諳達濟
農皆據有河套長驅犯邊我朝聖武布昭邊境靜謐然康
熙之代準寇披猖同治之年回匪俶擾重煩兵力始獲敉
平今既議開蒙地擬請兼置兵屯如墾地萬頃即屯兵千
人按名撥給田畝以資耕種不另給餉農隙則一律操練
使成勁旅邊徼數千里棋布星羅聲氣聯絡以實邊備其
利一蒙地水草豐饒牲畜蕃息向多以游牧致富今則生
計日蹙牧羣漸少凡可耕之地多私自招墾蓋所以謀生
者已不在牧而在租況蒙古貧弱已極若不早為設法勢
將無以自存今既議租以贍其身復置兵以衞其地以恤

藩部其利一西人富國首在開地往往鴻荒未闢之野榛蕪未治之鄉如三藩謝司戈澳大利亞不數年間遂成都會今西二盟蒙地乃古之郡縣韓重華婁師德屯田故蹟歷歷可尋雖云墾荒無異復舊現據委員查明晉邊境內可開之地不下三十萬頃若能全行墾闢除議給蒙租及一切費用外約歲得官租二三百萬兩況生聚日繁商人輻湊泉貨流通關稅釐金所收必倍歲增鉅欵以裨度支其利三蒙地未封禁以前口外糧食由黃河運入腹地者源源不絕除接濟本省外並可分給陝豫光緒元年前大學士左宗棠用兵西陲各軍皆由包頭設局采運兵糧並資騰飽丁戊大祲前升任撫臣曾國荃亦經派員赴包頭一帶采買糧石藉充振需迨封禁後地荒糧少今重開蒙

地糧食充牣擬每歲酌提租銀秋後由官收買凡薩託清等屬太汾平蒲各府所屬沿河村鎮皆擇地建倉隨爲儲積以備災荒其利四（以上節原奏）疏下部議行晉中風氣樸僿官紳皆主閉關公去任事遂沮格時　先伯父京卿公以河東道歷權藩臬一切規畫實贊其成余在幕中亦參末議

覺花寮雜記卷二　苓泉居士輯

皇帝受朝賀皆在太和殿墀下有品級石文武百官皆有定位戊申正月新皇登極百官入賀次序淩雜樞臣後至已將行禮匆促間雜於百官中拜跪登極大典而禮官不序班御史不糾儀亦可見朝綱之廢弛矣賀畢至金水橋聽宣恩詔百官跪於天安門外讀詔官立門樓上讀用滿語不可辨宣畢以詔書銜於金鳳嘴中徐徐放下禮官捧之而出百官乃散蓋君主登極典禮此爲末一次矣

吾鄉嚴蓀友中允贈顧梁汾舍人詩曰曈曈曉日鳳城開爭報仙郎下直回絳蠟未消封詔罷滿身淸露濕宮槐承平時代京朝官標格爾許余官中書時陸鳳石相國嘗寫此詩於扇頭以贈內閣在禁城之東地近大內每至直宿

之期燭下披校章奏丹禁濤嚴蓮籌遙遞直廬懸張詩舲所書聯曰絲綸閣下文章靜鐘鼓樓中刻漏長恰合此時情景 內閣中書之職視古舍人與翰苑並爲清華之選自康熙朝定考取之例乾隆朝開召試之典於是除進士外以舉人爲正途二百年來人才蔚興科名鼎盛歷科元魁鼎甲皆出其中署中有古槐鵲巢其上每屆春試以鵲巢之多少占甲第之盛衰乾隆某科得大巢三小巢一則三鼎甲會元皆出內閣頗類宋之玉堂靈鵲也（內閣題名錄跋後）

前清沿明舊制內重外輕三四品京卿與督撫抗禮總督內用爲侍郎巡撫內用爲三品卿此定例也吏部文選司體制最尊丁衡甫中丞（寶銓）以文選郎出守擢冀甯道入都引見一日過余神色不怡詢之則曰今日至文選司過

堂鵠立聽唱名其據案握管者皆同司後輩今始知外官不及京曹之貴也蓋道府銓補後皆詣吏部過堂至兩司始免

從前六部衙門缺分滿漢司員烏布（滿語呼差使爲烏布）以掌印主稿爲最尊掌印皆滿人主稿皆漢人爲一司之領袖掌印循資而得主稿則兼取才望故司中公事皆主稿所辦不過上堂同事掌印居前耳光緒末新改官制始不分滿漢改印稿爲司長副司長添設丞參視三四品京堂部事以丞參廳爲總匯漢員乃漸露頭角余考取商部記名二十四人滿僅三人官度支部丞參時同僚四人滿僅一人然滿員之才者升遷極速不數年而臺閣封疆蓋鳳毛麟角罕而益珍也

前明中葉堂廉闊絕宰相希得召見由宦官傳旨司禮監之權重於內閣而委鬼茄花之禍作矣有清一代以勤政爲家法宮中雞鳴即起披覽章奏黎明召見軍機面秉睿謨退而擬旨繕發軍機處卯初入值午正散班一日萬幾事無留滯軍機章京爲京僚華選其初專用內閣中書至嘉慶朝定考試之制由內閣及六部保送考取後開單引見硃筆圈用試時作論一首限時三刻以才思敏捷楷法工整者爲上選光緒癸巳蔭北兄考取章京題爲志廣體恭論語出荀子知題旨者惟兄一人遂列第一

故老言京師九門皆有神物鎮之正陽門城樓有仙狐常幻作白衣老人出而拜月崇文門爲靈龜嘗修理街道掘至崇文門下深丈餘忽露龜甲急以土掩之宣武門爲神

燹每當西市刑人夜深出而吸其血目光如星余嘗於夜半赴宴歸忽見羣犬奔走若有所伺御者曰神燹出矣停車道左然未覩其狀也其餘六門不可考矣

燕臺爲帝王之都而數百年來街道失修河渠湮塞每年二月各街開溝臭穢觸鼻夏初始竣故俗有臭溝開舉子來臭溝塞狀元出之諺街中泥沙積尺許沒踝膠輪春間少雨多風每風起時黃埃蔽日易石甫詩十日九風偏少雨一春三月總如煙眞善狀燕京風土光緒季年始修馬路自是王道蕩平無帶水拖泥之苦矣

乙丑秋日獨游積水潭衰柳枯荷秋光蕭瑟浣女搗衣於石上村童垂釣於溪邊徙倚移時塵襟盡滌元時開通惠河運船直達積水潭王元章詩海子酒船如畫樓盧亘詩

月榭管絃催曙發水亭簾幙受寒多張翥詞淺碧湖波雲漲淡黃楊柳煙濛想見當日歌舞園亭之盛明初築北平城與運河截而爲二不復通舟數百年來日益淤淺然自蓮花泡十剎海迤邐至此十里荷香碧波如鏡軟紅塵中此爲清涼世界矣四圍多名園古剎如蓮花社蝦菜亭楊柳灣淨業寺廣福觀李西涯之別業米太僕之漫園成邸之詒晉齋法梧門之詩龕皆名流觴詠之地今則滄桑屢易文藻銷沈惟煙柳斜陽菰蒲野水一片荒寒而已因憶故友梁巨川於此抱石懷沙距今五六年矣風景不殊而世運人心江河日下使君今日尚存不知作何感想也

乙丑上巳日下名流修禊於陶然亭到者七十六人以白香山三月三日祓禊洛濱詩拈字分韻賀履之林彥博李

雨林分寫爲圖丁閒公李漢父作序所傳江亭脩禊集是也席散後余偕陸彤士靳仲雲同登亭左小阜花仙祠下憑弔香冢摩挲碑碣碑後銘曰浩浩愁茫茫刼短歌終明月缺鬱鬱佳城中有碧血碧亦有時盡血亦有時滅一縷香魂無斷絕是耶非耶化爲蝴蝶語極哀豔香冢不知何時所立銘詞不知何人所製或謂某姬埋玉之鄉或謂某名士葬花之地總之花爲美人小影美人是花後身是耶非耶不必深考也

近日京師梨園聲價十倍紅氍毹上清歌一曲纏頭輒費千金讌會一次動需鉅萬梅蘭芳程豔秋尙小雲等皆有名士捧場爲之編排新戲如易石甫羅癭公諸君金荃製曲玉茗塡詞不失爲才人本色癭公之歿余挽以聯曰低

唱按紅牙消魂花月張三影高吟生白髮抱病風塵謝四溟蓋紀實也憶光緒庚寅辛卯間余初至都門梨園老輩如蓮芬紫雲小福等猶見其登場奏藝譚鑫培名譽甫著瑤卿小朶年僅垂髫耳每屆新春各署各科皆有團拜每讌費三四百金名角皆可羅致較諸今日不可同年而語矣

庚午秋王瑤卿年五十其弟子乞詞爲壽余塡滿江紅曰鐵笛仙翁是舊日開元供奉曾見汝臉霞紅印雀翹初攏舞罷霓裳天一笑萬枝絳燭笙歌擁更筵前唱徹紫雲迴梁塵動　彈破了梅花弄喚醒了梨花夢又清聲聽到桐花小鳳南國新翻瓊樹曲東風深護瑤林種羨丁年玉筍滿門牆霞觴捧余識瑤卿在庚寅冬今已四十年矣回憶歌舞昇平殊有梨園白髮之感

燕京廣和居酒肆在宣武門外北半截胡同肴饌皆南味烹飪精潔朝士喜之名流常讌集於此辛亥後朝市變遷肉譜酒經亦翻新樣惟此地稍遠塵囂熱客罕至未改舊風夏閏枝先生追憶承平故事首題感舊絕句七首王書蘅鄭叔進張勺圃章曼仙邵伯褧諸君繼作寫成橫幅戊辰冬月余至舊京書蘅同年招飲於此諸君畢集叔進同年擕橫幅至張之壁間諷詠徘徊不啻讀夢華之錄也詩詞錄後　夏閏枝（孫桐）　詩曰城南雅集憶承平近局時時隔巷迎酒肆未隨朝市改夢華元老說東京（近年酒樓謂場多非其舊不改舊風者僅一二家耳）聽雨樓鄰蕭寺北蝸廬肇自道光年公卿小巷常停轍也作貞元軼事傳（其對宇為嚴氏東樓舊址南與伏魔寺鄰原為隆盛軒酒）鋪道光十一年始改今名僅門屋一間後屢充拓併在城西市儈熱客所不至惟文人樂就之朝貴耽風雅者亦時

蒞止光緒中松禪協揆每出城訪書畫輒過飲抱冰相國自武昌入覲猶時攜客談藝閱世青帘濛

冷坊名流幾輩醉壚旁東洲詩老留嘉話酒債諸孫尙未

償道光以來名士文酒之會接跡於此何子貞先生居巷南直以爲外庖詩孫觀察嘗與論四世之交言舊債上溯六七十年亦不復計論矣不將珍錯競肥甘春韭秋菘味自醰肉號

東坡魚宋嫂食單掌故補宣南烹炙多傳自南士或標其姓氏潘魚者耀如太史炳年也吳魚者潤生中書均金也江豆腐者韻濤太守澍昀也近日韓力畬部郎授以鍋燒豬肘亦足追配曰韓肘昔陶鳧薌侍郎有清蒸白菜瑤柱肚瑰等四種號曰陶菜不始于廣和居今獨留遺製他家皆絕響矣又烹魚法最多皆佳五柳魚即宋嫂遺法畫壁旗亭結習存趙行秦草各專門周髯竟

欲移樽避抹殺顏家漏屋痕壁上多趙堯生秦宥橫所書屏聯秦書尤多周少樸前輩素與持論不合每覓座必擇室無秦書者文人結習亦可留一談柄四十年來萬事非閑關

頌酒代餐薇黃公壚下重經過嵇阮徒悲舊侶稀余光緒丁亥始寓京繆藝風余壽平徐芷帆養吾劉式甫皆居相近無三日不會於此庚子後秦宥橫王病山李亦元過從較密滄

桑之後惟余與宥橫復來今宥橫墓已宿草王書衡章曼仙邵伯蘋諸君猶偶就作夜談每話昔游輒歎不已

鄭叔進沅詩曰歷歷清游似眼前黃公壚下太淒然高陽徒侶今何在難忘璘斑碧血年往時京朝官多在城南每有小集輒至廣和居三十年來知舊零落追思昔游何可復得小詩意指戊戌之楊叔喬譚復生二君及庚子之劉葆眞前輩皆嘗與余同飲此肆者也

王書衡式通詩曰食單品格比新城三世能知有定評今日京華艱粥飯霞川枉重酒家名會稽李越縵先生精飲饌會見其與鄉人短札謂廣和居菜如漁洋詩非北人品格

章曼仙華填虞美人詞曰城南歌管都消盡賸此青帘影旗亭無復柳絲絲猶憶黃河遠上白雲辭癸巳甲午間此地詩鐘極盛酒家傭保渾相識三十年前客壁間淡墨走龍蛇誰與一樽清醑酹籠紗

張勺圃伯英詩曰文心雅與桐城契筆陣曾教淮海驚二妙清言長寂寂壚頭買醉不勝情昔與姚叔節同館正志學校近廣和居偶來小飲滿壁皆秦右衡字

叔節語余右衡論古今人書多所掊擊昨過予齋見君書稱歎不已予與秦君固未識面也彈指十有五年感慨係之矣

邵伯蘋章填浣紗溪詞曰豆腐瓜茄作大烹荆妻兒女飽殘羹種榆雋句漫汗蠅佗日宣南遺事補震聞朱志憶神京吟邊聊與一飛觥昔年曾以陳曼生書大烹豆腐瓜茄菜高會荆妻兒女孫聯語寫貽城南某黔菜館爲俗客所抹刷香漫園索書此聯至以頗黎格之廣和居軼事京師坊巷及天咫偶聞所不載得閒老感舊詩當成故實爲後人筆記所采錄也

市近樓高詠寓齋先廬咫尺久封苔牡丹詩讌舊曾開卅載公車彈指過鄉人道故東頰來門前奕局任推排先祖位西公官樞曹時曾寓半截胡同即聽雨樓舊址集中詠京齋詩所謂市近心偏遠樓高室易昏又四月三日招同人觀寓齋牡丹均指此余以光緒癸卯公車入都夏厚菴吳補松諸老頻招廣和居小飲回首前塵渺如隔世譜聲既竟繼以𡑺欷

光宣之間京師王玉峯彈三弦號絕技余秋夜觴客招之奏技先仿梨園皮黃諸劇譚鑫培之鬚生王瑤卿之青衣

金秀山之黑頭俗呼外曰鬚生旦曰青衣淨曰黑頭行腔使調無不逼肖次作僧寺梵唱鐃鈸鐘魚一時並作復爲蒿里之歌其聲淒清如古峽猿啼秋空雁唳最後作戰場聲刀劍磨撞萬馬蹴踏征鼙殷地哀角橫秋令人神魄驚悚眾音繁會之時忽裂帛一聲畫然遽止時霜月滿簾酒消香燼坐客形神俱化飄飄乎如御泠風而行技至此歎觀止矣玉峰歿於民國五年或謂其反對洪憲帝制絕食而死沈南野作長歌弔之至比以雷海青此亦文人粧點之詞然抱此絕技窮餓以死亦可以覲世變矣

北京多鬍綹賊手法敏捷黨羽眾多其魁傑者華堂大廈裘馬輕肥儼然貴家也聞光緒中疆吏某公入覲衣冠拜客偶至廠肆小憩摘貂冠置几上轉瞬已失冠上珊瑚頂

翡翠翎管値數百金乃囑番役覓之（番役爲步軍統領署之捕賊者）越二日至曰得之矣請以明日某時至某胡同某宅徑上廳事見故物攜之遽出勿回顧如其言至一家入其門闃無人上廳事則書畫鼎彝陳設精雅排列貂冠數十寶石珊瑚頂翡翠碧霞漢玉翎管璀璨奪目公見己冠徑戴之上車疾馳而去又有某君游市上拾得順治大錢半文磨礱極薄銛如刀置之錢橐中旋幷橐失去越數日復游市上忽有人撫其肩曰開罪開罪則錢橐已歸幷貯銀十兩莫明其故詢之人曰此半錢爲巔綹所用愈小而薄則技愈高彼得此以君爲同黨也光緒季年此輩漸稀殆龔定菴氏所謂巷無才偷也

黃桐笙（家瑜）江西鄱陽人上海道黃幼農觀察之子目能

見鬼年弱冠大病兩月一旦忽愈則目光烱烱與常人異自言生平所見鬼物奇形怪狀不能殫述昔羅兩峰畫鬼皆得之目見觀此殆非虛誑又能望人身之氣以決休咎氣有五色心地俊偉光明者現紅黃氣純潔者現白氣尋常人多靑氣灰則奸詐黑則凶悍矣忠義者紫僅見一人問姓名不肯言精氣壯盛者其氣輒直上一二丈在室則上冲屋頂離披下垂若散漫無根搖漾不定則其人不久於世矣

余丙寅冬歸里聞梅園主人榮德生道神燈之異云是年元夕酒後登閣眺五里湖月色朦朧萬境皆寂忽見明燈一點出自湖中一化爲二二化爲四倏忽間化爲千萬滿湖皆燈矣兩燈爲一列游衍蕩漾魚貫雁行次第秩然不

紊如有人指揮歷半時許漸漸減少以至於無誠奇觀也是夕瀕湖人家皆見之但居湖東者則見其出於西居湖西者則見其出於東耳余少時聞故老言神燈事又見前人之書記載常以爲疑今德生得之目覩殆不虛也

林舍人麟焻琉球竹枝詞曰匹練明河牛斗橫鼕鼕衙鼓欲三更思鄉坐擁黃紬被卧聽寒窗蜥蜴聲余在南洋爪哇見蜥蜴大如貓伏壁上鳴聲喈喈不螫人土人習見不怪若在內地驚爲異物矣

陶南村輟耕錄載平江虎邱閣板上有一竅當日色清朗時以掌大白紙承其影則一寺之形勝皆見但頂反居下耳伍既庭飲淥軒隨筆云松江城中有四塔夏盟連家在四塔之東而小室中刼有一影長五寸許倒懸於西壁上

不知從何而來是一不可曉按西人照相攝人影於鏡上皆倒懸所謂折光鏡也宇宙間形形色色怪怪奇奇細究之皆有至理西人聲光化電諸學往往見於古書中特眞理未發明之前不免詫爲異事耳

明末虞山王叔遠製桃核船刻東坡遊赤壁精巧如出鬼工見魏子敬所記詫爲奇絕近世擅絕藝者一爲于嘯仙之鐫象牙一爲周樂園之畫鼻煙壺皆具棘端刻猴之妙技余得于製象牙一方長闊僅一寸五分許上刻古詩十九首目力初不能辨照以顯微鏡則字畫細如蠶絲勁如蚊脚極生動飛舞之致又得小屏視前稍大刻山水亦精妙昔翁覃溪能於一粒芝蔴上書天下太平四字于藝似又勝之周能於鼻煙壺中作畫家有斗室無窗牖僅於向

陽處開一小孔圓光如鏡使目力凝聚就光作畫取水晶壺中間磨礲光潤以極細之羊頴爲筆近端作曲尺形伸入壺內所畫山水人物花卉翎毛皆有名家筆意周逝世二十年所製壺已値高價于尙存聞目力已遜於前矣

舊藏蕉葉白端硯上刻厲樊榭徵君及月上姬人小像四圍山水樹石雕繪甚精後題七絕二首曰蕭騷白髮老詞仙身際康熙大定年解識維摩天女意未應花影怯初禪湖雲湖水碧沄沄略似淞波一翦分消受綺窗眉子月風懷又見老徵君欵書厲樊榭徵君及月上姬人畫像丙辰年樊山偶題因與樊樊山老人別號巧合舉以相贈但不知題詩之樊山究是何人也

詩鐘一體閩粵人最擅長閩派以雅雋爲主粵派以典麗

爲宗近年都下著名之寒山社則粵派也工此體者必天才敏捷腹笥便便運以淸思緯以麗藻虛實兼到情文相生斯詩鐘之上乘矣　易實甫詩鐘說夢曰詩鐘不知起於何時少日見閩人施某所著雜記載有多聯施爲國初人則國初已有此製矣此體大約創始於閩名曰改詩或曰折枝不名詩鐘也改詩不知何所取義或曰改律句絕句之詩而爲兩句故曰改詩改詩之改字卽截句之截字其名詩鐘則取擊鉢催詩之意耳閩雜記所載多聯僅有分詠事物一體而無限字一體分詠人物體有詠一事一物者有詠兩物者有詠兩事者然總以詠一事一物且詠不倫不類之事物爲此體之正宗記閩雜記所載分詠燕子洋狗云三春又見君尋主諸夏難容爾吠人分詠修脚

匠題名錄云足下工夫三寸鐵眼前聲價一文錢當時風氣可以想見又云限字體多只限兩字不對者分嵌兩句中第幾字其用三字四字以至七八字則苛政變體也閩人又有五碎七碎之名小兒未學作詩先學作對作對之後又學作碎對者對他人五字七字之句碎者自作一對五字七字之句其題則先生命兩字使分嵌於兩句之中亦限嵌於第幾字但七碎所限之字皆相對者分詠體記有申報赤壁一題余有一聯云字多英法蛟龍氣江是孫曹鷸蚌場粗獷而且膚廓矣又云同社諸君子雄奇博雅各擅所長至於工麗悽綿兩種自問亦未肯多讓如賀新娘三字鴻爪云暮雨吳娘桃葉水新秋胡騎賀蘭山渡蘭鳳頂云渡頭人去煙橫艇蘭若僧歸月到樓新五板船四

字碎聯云新潮板渚三春水舊雨楓橋五夜船世樓蜂腰云落花身世隨流水細雨眉樓對遠山琴雨鳳頂云琴因焦尾成珠柱雨已消魂況畫船分詠茶松子云春愁禪榻看煙颺秋夢琴牀聽雨敲前三聯在蜀社作後三聯在吳社作皆傳誦一時亦有他人不以爲工而寸心自賞者旗亭畫壁井水歌詞每念昔游輒覺蕩氣囘腸不能自已矣

余於詩鐘本非所長社作多不存稿丙寅春栩樓社集偶存數聯附錄於下老陽七唱曰龍門要指談黃老鹿洞新規訂紫陽沙錦二唱曰麻沙舊本多翻宋蕃錦新詞盡集唐目文七唱曰戲拈蓮子呼湖目蓮子一名湖目閒劚松根采地文半夏一名地文容葉四唱曰北部慕容稱貴種西方迦葉啟宗風笑淸三唱曰天公笑落銀壺電風伯淸隨玉輦塵神

髮六唱曰虎頭作畫傳神處猿臂從戎結髮初玉名七唱曰赤汗馬皆夸歎玉綠頭鴨但解呼名又在山左與賓僚社集能夜五唱集唐句曰鴛鴦占水能嗔客鸚鵡驚寒夜喚人姚柳屏愛之爲書楹聯榜於池亭

作壽序者多尙駢文取其易於鋪張工於比附也然勦襲雷同膚詞滿紙其人不足取其文亦不足觀惟張文襄所作李文忠壽序以古書隸今事閎博偉麗於駢文中別開異境茲摘錄其警語於下　羊胛夜熟聲教及於寒門鳥羽山齊威稜逾於弱水　梵釋佉盧之變體別爲蠟頂一書婆羅天方之支流遂傳摩醯十戒　天子守在四夷經傳之偉略聖人學於萬物儒家之精言以上首段　東海湛盧之劍秦王聞而願求西戎切玉之刀穆滿得而寶用　讀

盤庚之誥器非舊而求新繹穰苴之書兵以長而衛短（各軍用洋式槍炮）張衡能剏新法地動成儀李治別具精思海圓測鏡　輕以重御故斤削鼻而不傷平與弧殊故衡向眉而恰盡（設製造局）　冰鬬西之壘魏武囊沙錐統萬之城赫連蒸土（築新式炮台）　誕謾竹書之語繞斗帝生滑稽神異之經投壺天笑（設電綫）　東方掘地誤疑昆明刦後之灰蘇軾上書請煉徐州山中之鐵　青澗百五十尺而無停工元君七十二鑽而無遺策（興煤鐵鑛）　洲名爲歐阿澳美分求貉隸之官字母有挨額烏衣更廣龍龕之鑑　日出日入之語免侮謾於來書地動地靜之談不眩迷於異說（設廣方言館）　玉門四萬里奇肱飛車廣輪十二分壺公縮地　牡關牝轄鐵籠冒田單之奔車幹別枝分金椎築秦王之馳道（築鐵

路

板楯罰黃龍閶中列石單于刑白馬諾水告天立條約

斗樞春轉知相公斡運之璇璣江漢波澄是元老舊時

之壐里末段閒原稿爲武進屠靜山寄手筆文襄改削大半

麗藻精思蓋生平之傑作也近日友朋中擅長此體者當

推丁闇公傳靖丁卯歲陳弢菴太傅贈余六十壽言一時

傳誦闇公所撰也

覺花寮雜記卷三　苓泉居士輯

孽海花一書爲近日著名之小說書中以洪文卿侍郎爲主而以京朝故事穿插其間所載事實雖不免附會而人物皆可指數當同光間士大夫竺學嗜古吐納風流潘文勤翁文恭兩公爲領袖張文襄王文敏李芍農李蒓客汪柳門盛伯熙吳清卿等爲羽翼一經品題聲價十倍余入都時文勤已卒猶及文恭之門書中之人半曾識面囘首三十年前海寓清晏羣彥彬彧曠如睪如幾同隔世偶一展閱不啻談開元之遺事覩正始之餘風也

虞山翁文恭公書法冠一代評者謂在石菴覃溪之上余見公手錄日記四十冊自咸豐戊午起至光緒甲辰止凡四十七年少年書法遒媚體兼蘇趙中年後則雄奇古樸

直入大家之室矣公自言入翰林後問筆法於何子貞先生先生曰吾書無他長但畫平竪直耳公曰老前輩書龍蛇夭矯妙處正在曲字今此所言殆爲初學入門之訣乎先生曰非也吾作字時但存想畫平竪直四字至縱横恣肆乃學力所造非有意爲之也試觀晉唐人書皆筆筆中鋒神明規矩宋元以後漸走偏鋒矣公又言大家作書用力在肩名家用力在臂尋常人但能以腕運筆而已公從孫燮甫方伯斌孫爲余言公中年時日書百聯而腕力不疲然尙不免有應酬之作歸田後則批卻導窾官止神行幾於庖丁之解牛矣

壽州孫文正公由大魁秉政弼亮三朝海內推爲鉅德偕翁文恭公同値毓慶宮文恭日記中屢推其學行自以爲

不及同時潘文勤翁文恭兩公開閣延賓爭采時譽游其門者輒登上第公獨謙退淸約門無雜賓官至宰相而無旋馬之廳僦居安徽會館門廡蕭然不異寒素余官內閣時蒙公器賞邀入幕中主箋奏每日朝退後必至余齋中談論經史深沐教澤戊戌後舉行新政以公管理大學堂又派充資政院總裁蓋欲借其德望鎮壓羣流也公調停新舊絕無門戶之見處事不露圭角而議論侃侃不阿上言教育人才首以書籍爲要義理稍有偏歧其關乎學術人心者甚巨今乃倡孔子改制稱王之說飾經義以文姦言恐人人存改制之心人人謂素王可作是學堂之設本以教育人才而反以蠱惑民志異日亂臣賊子皆出其中臣何能當此重咎以上節 原奏 所言洞若龜鑑其深識遠慮非

翁潘諸公所及也

座師徐壽蘅尚書博學好古虛懷愛才立朝五十年屢以言事左遷然天懷和易不與物忤聞友人談其軼事曰公官都憲時與朝士讌集言及鐵路事剛子良毅語公曰孔子言乘桴浮於海若在今日當曰乘輪浮於海矣公歎爲通人之言某侍郎曰輪車行陸輪舟行水但言輪字意似未顯剛怫然公正色謂某曰君誤矣既曰浮海定是輪舟此省文也古人常有之剛曰還是壽翁通博座客皆匿笑剛不學而忮誤讀草菅人命之菅爲官音瘐斃獄中之瘐爲瘦字翁文恭屢與爭駁遂成仇隙觀此乃服公之雅量

李蒓客慈銘所著越縵堂日記自同治癸亥起至光緒己丑止共二十七年中多攷論經史旁及金石書畫詞章蓋

自少至老無一日不讀書每讀一書必綜貫首尾提要鉤元著諸日記中可謂好古敏求之士矣說經具有師法論史尤具卓識所作詩文亦清綺婉約不染當時習氣惟尊己卑人動詆人爲傖父爲妄人不免蹈名士結習然遇投分者送抱推襟風義甚笃亦性情中人也余辛卯入都始見先生時已傳御史丰采藹然議論純正蓋閱世益深方寸中五嶽漸平矣

樊樊山先生官江甯藩司時賦紅梅禁體詩擅場人呼爲紅梅布政令弟妹爲作紅梅布政圖余題一絕句曰身是仙官蔡少霞碧幢絳節坐排衙瑤宮別賜東皇勅管領春風第一花先生才華冠世今年已八十紺顏華髮健步如飛爲日下騷壇主盟搖筆散珠動墨成錦精采勝於少年

誠異人也　樊丈贈余詩序內有自述數語云寒房十七載服獨睡之九膴仕三十年嚴二色之戒皆緣沖禪得致康强蓋丈自二十二歲斷絃後至三十九歲始續娶白首相莊旁無姬媵生平淡於嗜欲紙窗竹屋几榻蕭然客至則瀹茗清談不呼僮僕嘗有句曰冰簟銀牀涼雨夜人生無過獨眠佳余獻詩曰伎無桃葉堪娛老妻是梅花共耐寒又曰密雲龍茗煩親點也當蘇門明略看皆實錄也八十歲後連遘鼓盆喪明之戚意稍鬱伊而看花賦詩意興不減己巳春至津門飲於酒樓余即席賦金縷曲云柳外東風峭近清明梨花釀熟采芝翁到重認旗亭青帘影袖角京塵未掃看海上紅桑已老法曲飄零宮羽換聽玉琴彈出清商調渾不似舊懷抱　寥寥故國空文藻賸當年

蘿溪畫卷茗樓詞稿璧月銅街行樂地換了泠煙殘照更愁絕江花江草無限蘭成蕭瑟感莽風塵頭白知音少歸夢遠楚山曉此詞和者甚多余彙錄之題曰采芝遺韻

樊山集中有彩雲曲膾炙人口彩雲傳姓姑蘇樂籍洪文卿殿撰納爲簉室隨使歐西英女主維多利亞召入宮同榻攝影世豔其遇歸國後與僕姦洪斥僕而疏彩未幾洪卒彩挾僕俱遁復操舊業流轉京津改名曰賽金花近人所著孽海花小說即紀其事先是洪未第時客煙臺與妓愛珠訂嚙臂盟既登大魁遂與珠絕珠冤痛自縊彩生時有紅紋繞頸疑即珠之後身云其人其事本不足傳而詩則婉妙華妍梅村之亞也詩長不錄

與樊山並世齊名者惟龍陽易實甫順鼎實甫少號聖童

五歲時隨其父笏山先生官齊魯間爲捻匪所掠僧王破匪巢得之問其家世卽於王掌上以指畫字書其父姓名官職因得送歸左文襄夙重之嘗與座客論當世人才或舉笏山先生文襄曰父乃人才子則天才也以乙科入資爲戶部郎初入署堂參尚書潘文勤公問曰那位是易老爺由是名滿都下平生詩隨作隨刊集名不一板式亦不一從無人藏其全集者詩以七律爲最勝對仗極工而若不經意是其絕技警句如金陵雜感云九死尙餘雙綠鬢三生曾住幾紅樓秦淮雪後云萬花世界將紅洗六代江山要白描感事云未識明年在何處試看今日是誰家初入關中云城堞雉連秦晉樹關門牡鎖漢唐苔寄友云心上故人三五雁腰間神物一雙龍泰安道中云雞唱一聲

天已白馬通三尺地皆黃荆州弔古云北兵他日終飛渡西伯當年只坐談詠晉元帝云半壁山河牛易馬渡江人物鯽隨龍乙未感事云中朝舊議封關白上相新聞使契丹游鼓浪嶼云青綠山川圖小李丹黃村落認諸楊臺灣雜詠云李家慣作降王表劉字空書太尉旗指劉永福題孫師鄭師友感逝詩云江南風月雙紅豆天上星辰幾白榆以上諸聯新警渾成於淸代詩人中別樹一幟可見詩家自有康莊孔道爲前人屐齒所未到不必立意避熟走入艱晦一路也亦有但求屬對工巧並無深意者如酒與婦謀堂步雪書因妹寄岸經雷風月如聞簫尺八江山不見鼎分三桃花士女桃花扇燕子兒孫燕子箋此等句乍見喜其新細玩嫌其淺薹石甫好作詩鐘運用典故不免斷鶴

續晁詩亦受其累不能爲才人諱也範甫兄愛其二語曰空階萬葉如人走問爾歸根何處邊謂誦之令人惘惘

光緒中葉張幼樵學士佩綸黃漱蘭通政師體芳陳弢菴太傅寶琛寶竹坡侍郎廷等號爲清流彈劾權貴臺閣風生雖望實未副終異於寒蟬仗馬朝貴疆臣亦有所忌憚諸人常集於松筠菴諫草廬朝士每聞松筠菴有議事則動色相告明日彈章果上甲申閩江失事張幼樵遣戍於是清流諸人皆被譴責而言路之氣衰矣至光緒季年趙芷生啟霖江杏村春霖趙竺園炳麟號敢言趙芷生以劾振貝子罷職江杏村以劾慶王降官惟趙竺園於民國尚官山西實業廳後又有胡侍御思敬嘗上書痛斥朝政言召亂者七速亡者五纚纚萬言留中未發胡遂乞歸宣統

間政府皆闒冗之臣諫垣無骨鯁之士於是政客黨人紛紛言事議論哤雜以至於亡

陳弢菴太傅以光緒甲申丁憂歸里居林下者二十五年宣統己酉應召入都朝士仰之如祥麟威鳳時國事將變士論哤雜余與勞玉初宋芸子俞志韶吳絅齋馬雋卿等二十餘人組織憲政實進會推公爲領袖辛亥三月簡放山西巡撫適 今上典學令澤公薦賢余謂經筵一席非陳某不可或曰已簡晉撫矣余曰封疆才易講幄才難論乃定遂開缺以侍郎候補在毓慶宮行走國變後周旋艱險翼護舊君二十餘年始終一節晚歲名益高望益重以詩文誘掖後進巋然爲海內龍門余以文字受知撰杖扶輪謬邀獎許每爲余談同光間名流軼事衮衮可聽戊辰

歲公重宴瓊林余賀以詩曰典學經筵重論才講幄難乾坤留碩果江海障狂瀾闇公謂是公晚年實錄

甲午四月大考翰詹文芸閣廷式第一升翰林院侍讀學士先十餘日文偕友游琉璃廠遇相士陸某曰君眉間黃色甚濃不日將升四五品京堂衆以爲誕越數日大考命下文以高等遷擢自是陸某之名大噪文未第時館志伯愚都統家珍妃瑾妃爲都統之妹文之女弟子也洎大考德宗手文卷交閱卷大臣命置第一或謂二妃所請求也文本江西名士爲翁文恭公所賞庚寅成進士殿試對策誤書閭閻爲閭面（余親見原策爲閭面二字）讀卷某尚書疑之將加簽翁曰此二字有出典記見某書以簷牙作對遂以榜眼及第旋爲御史彈劾讀卷官皆得處分翁本欲置文第一或

謂宋之文天祥明之文震孟皆在末季文姓作狀元非國之祥乃置第二然文得鼎甲後二十年而清社亦屋矣

吾鄉陳用民先生重威以名孝廉居李文忠公幕府三十年清介絕俗以廣文老久居顯幕末晉一階聞先生十餘歲時在京師遇一筆客相之曰孺子聰慧可傳吾術乃授以書令習內功久之能輕身騰踔而家人不知也一日忽見其在屋頂鴟吻上與筆客對坐吐吸日光大驚亟呼歸閉室中恐其逸也則門窗皆下鍵一夕忽覺身從櫺楣上飛去至虎坊橋畔惘惘路歧遇相識者送歸門窗鍵如故不知何以至此也父母恐其入魔亟搜得其書焚之遂不復習平日謙和斂抑粥粥若無能人叩其術則曰習此大難苟非躁釋矜平一舉手人立粉碎矣嘗過京師某廟見

十數人肩一巨木長二三丈流汗邪許先生笑曰何至是吾為代勞以一手執木梢輕若藜杖移置廟中眾皆駭異又遇怒馬奔軼不及避運氣叱之馬辟易數丈明日馬斃主者欲索償而無辭又駢二指繫以長繩立戶限上令數十人曳之不能動一揮手而眾皆傾仆矣今年已七十餘猶強飯健步其術練成或即古之劍俠惜中道而輟筆客亦迄不復見蓋奇人也莊思緘同年於先生為至戚為余言如此　吾鄉有楚二鬍子者精技擊業保鏢名重江湖不用武器惟腰帶一條以氣運之屈伸如意所當輒靡余少時嘗見之年已七十餘白鬚彪彪然神采英毅不異少年也

李仲軒世丈經義為文忠公猶子前清時歷任封疆勛績

踔著與袁慰亭岑蓂階同時號爲三督入民國後益負時望六年二月國會一致舉公爲國務總理其時軍閥之勢漸張苟得老成宿望坐鎮指揮尚能斡旋時局也公病卧津門越兩月始就職甫三日而遘復辟一切未及設施自此時事日非公亦不復與聞政治矣丙寅春公卒於上海余挽之曰世變之烈甚於水火龍蛇天下事尚忍言耶棋局竟爛柯憔悴江湖憂國淚人望所宗比諸日星麟鳳老成人而今盡矣琴材曾爨尾淒涼門館受恩身

楊杏城師士琦才識精敏兼房謀杜斷之長袁項城驅駕羣才獨師爲所敬憚遇事諮而後行意所不可瞠目不言項城旋悟惟洪憲帝制諫阻未從項城卒後退居滬上徐東海師任總統將召爲總揆乃以末疾遽卒朝野悼惜余

官商部及隨使南洋周旋最久頗蒙器賞論事磁芥相投余每謂公見事輒高我一籌先我一著我方從容籌慮公已嘗幾立斷此所以不及也

乙巳歲出洋考察政治余任總文案佐之者爲桃柳屏朋圖劉樸生鍾琳皆同年同譜也兩君學問淵雅俱好爲沈博絕麗之文而性情乃絕不相類柳屏風裁通脫議論鋒發有魏晉六朝人氣韻樸生則清介絕俗刻苦自勵有東漢獨行之風余戲爲題目曰兩君一狂一狷皆特立之士也柳屏官山東知縣久居幕府抑抑不自得入爲內務部司長已未年卒於京師樸生由法部參事外簡長蘆鹽運使未到任擢湖南按察使蒞任甫數月值鼎革棄官歸沒於上海兩君皆無子身後蕭然其境遇又相類也樸生之

赴湘臯也僅攜傔從二人衣冠布素行裝甚簡余戲之曰君已官三品大員矣而外觀如此得無矯廉乎抵湘之日司道以下皆郊迎君已先期雇肩輿入署署中人不知為新按察使也

沈南野宗畸粵東老名士也少年才藻冠時以落花詩得名人呼為沈落花鼎革後寄居都門賣文為活所著便佳簃雜鈔多載同光宣三朝掌故珍聞佚事有裨史料與余初不相識丙寅秋余在里門君於翰海中見拙作謬相推許先以書來自是郵筒往還詩文贈答數千里外遂訂神交未幾物故病中致余書曰既無死法亦少生機歸固大難留將何恃語絕悲痛又欲以雜鈔寄余代印作此書時距易簀僅三日耳余答書則已不及見矣悲夫挽以聯曰

悽惻秣陵書可憐淡墨封題是君絕筆飄零桑海錄曾許汗青寫定入我叢編君故後遺書未刻恐遂湮沒記之以存其人

曹君直中翰元忠詞筆婉麗逼眞二窗鼎革後棄官歸未幾卒余於光緒丁未戊申間與君及胡劭介祥鑅金拱北城等十數人結無聲書畫社頗多唱酬今三君皆下世矣偶於篋中檢得君直詞稿二首亟錄之長揖鍾山蒼顏似爾重逢如舊相識吟鞭影裏墮六朝煙翠猶濕春夢休追憶無人見少年綺陌忍翦取莫愁鬟淚桃葉迴波温存照我今昔　青溪畔紅板側甚別不多時便疏游迹三霜那久爲撇了花朝鐙夕塵思沾胸臆爭餐得白門秀色何況眼前金粉成塵還消斷絲零笛調寄江南春丁簾重至殊有夢窗淸華池館之感

秣陵小住早夢醒前時燕暮鶯朝豆蔻梢頭枇杷花下芳塵暗逐春消自吹紫簫怕石城悽咽寒潮照淒涼賸粉零金夕陽黃似塔痕焦　回首墜歡何處話青谿影事特地魂銷釵挂臣冠扇懷君袖禁他濇寫輕描褪紅板橋被六朝煙水光搖衣香人影化齊梁冶游風月嬌　調寄霜花腴

丹徒丁閬公傳靖以玉堂著作之才而名未升賢書官不掛朝籍鼎革後惓惓故國有羅昭諫白衣忠愛之心其駢體文沈博絕麗由初唐四傑以上規六朝詩以青邱梅村爲宗而出入於玉局遺山之間樊山丈與余書論當代才人曰以吾所知獨步江左惟有丁髯耳余謂閬公之才似胡石筍以副車終遇亦相類貌似陳迦陵胸中尙有駢體文千餘首未寫出若開鴻博科髯當超羣軼倫矣君四十

後始至京師名滿輦下余從陸彤士處讀君文深爲傾倒君亦從彤士索余詩稿因此定交送抱推襟契若蘭茝戊辰秋君移居津門僦宅與余相近過從益密每作詩文必互相商榷庚午九月君膺末疾服藥偶誤遂致沈劇余由燕京歸視君病榻已不能談惟相對黯然流涕而已綿歷二旬竟爾長逝余暮年性情文字之交以君爲最一旦訣別哀感不能自禁君精於史學掌故宋明淸三朝之事尤博綜貫穿所著書十餘種當爲校刊以盡後死之責余輓闇公聯曰精神銷鑠如膏蘭自焚奈何師魯與萬鬼爲隣（用永叔文）可憐絕世才華只落得白髮塡詞靑燈校史意氣纏綿若珀芥相合已矣少游雖百身莫贖（用東坡語）追憶平生交誼欲從此拋殘簫局搥碎琴牀

水西莊在天津城西查蓮坡之別業也中有數帆臺攬翠軒杭溪廊諸勝厲樊榭嘗居此箋絕妙好詞蓮坡兄弟並擅才名喜賓客園林觴詠之盛與馬秋藥小玲瓏山館南北相望今荒圮已百餘年遺址不可問矣社友查峻丞（爾崇）蓮坡之族也詞筆清綺在梅溪玉田之間文采風流稱其家世鼎革後棄官居沽上窮愁憔悴以沒辛未春仲栩樓社集題爲弔水西莊故蹟兼追悼查灣（峻丞別號）余塡憶舊游詞曰羨承平耆舊風月園林占盡聲華留得滄桑影但荒陂放鴨廢堞棲鴉（天津城垣亦毀）猶有後來詞客製譜招紅牙話家世風流行人指點一曲鷗沙　堪嗟舊游逝算冷醉閒吟送了生涯重過西洲路把懷人淸淚彈上蘆花空認百年喬木秋色老煙霞賸鬼唱淒涼楓林月黑尋鮑家又

輓以聯曰文苑傳家是梅壑蓮坡之亞吟壇感舊與冰絲蝭影而三栗齋闇公先逝辛亥以來日下名流多詩酒之會寒山詩鐘社則樊樊山王書衡宗子威諸君主之蟄園詩社則郭春榆嘯麓喬梓主之稊園詩社則關吉符潁人昆仲主之漫社則孫師鄭路金坡諸君主之結佩題襟才儁歛集猶有承平餘韻舟壑俄徙宮羽旋移酒侶吟朋一時雲散惟蟄園猶按期舉行戊辰冬春榆丈作故亦成絕響矣春丈之逝余爲社友公撰祭文又製挽聯曰家傳鸞掖文章珥筆歷三朝似聞夢入娜環依舊清班參紫府我訪鳳城儔侶題襟纔五日忽報神歸兜率從今高讌罷紅亭丈暮年屢夢至一官府似國子監有古衣冠人迎謂曰吾代君攝事久矣卒前十

日余至燕京花下酒邊屢親談讌別甫五日遽聞訃音聯語雖不工所言皆實事也

甲寅秋開清史館海內名宿萃於都下簪裾輝映文酒聯歡賓主共三十三人易實甫爲長歌記之曰湘綺八十儼熊羆王壬秋 宜都白鬚長過臍楊惺吾 藝風祭酒蘭陵遺山繆小漚尹六尺晏嬰齊朱古微 沈菴精鑒追伯羲寶瑞臣 侯官清直古伯夷郭春榆 合肥柱下善守雌李新吾 膠州著史淵探驪柯鳳生 德化木強狀植鰭李木齋 南豐眉宇同紫芝趙芝山 劉侯茹素篤孝思劉仲魯 江叟綿蕝兼皐比江叔海 夏公鐵網餘珊枝夏潤芝 秦子文體樊宗師秦右衡 次長喜與散仙陪沈冕士 肅政日手書一鵰傳沅叔 大理淵默涵道涯董授經 都史秋肅回春姿莊思緘 主計數典若列眉吳向之 趙侯玉立猶當時趙劍秋 楊

侯二泉毓漣漪楊味雲鄧子鍾阜鍾嶔奇鄧孝先吳侯肯刻樵
風詞吳印成志龕新序梅村詩王書衡張子學佛儒通醫張孟劬
金侯來自鴛湖湄金籛孫張君乍覯名早知張彥雲章子通家
見恨遲章式之問琴短小思臯夔宋芸子瘦公粵秀入京師羅掞
東榜眼家世承花宜吳綱齋探花書堂疑不其鄭叔進袁子南
齋辨仍垂袁珏生德清相見觸我悲俞階青吳菴人嘲聖小兒
作者易石甫未幾宋芸子以嫌被逮諸君先後出都王壬秋楊
惺吾繆小山三先生相繼下世騷雅銷沈自是雲散風流
不能復合矣
庚午上巳祉友脩禊於瑩園晚集於雲在山房聯句紀游
同集者十九人陳弢庵寶琛鄭蘇戡孝胥查峻丞爾崇李
子申孺章式之鈺周熙民登皞白栗齋延夔楊味雲壽枏

言仲遠敦源　丁闇公傳靖　林子有葆恆　葉文樵崇質　徐芷
升沅　陳葆生實銘　許佩丞鍾璐　胡晴初嗣瑗　萬公雨繩栻
郭嘯麓則澐　唐立庵蘭　詩錄於下　春寒風定暄徵囘　弢
庵　小桃含笑迎人開　峻丞　重三佳節天宇淨　子申　城南問
訊還重來　式之　入門眼明喜見水　熙民　新柳一碧知誰栽
栗齋　蒼然籬落尚寒色　味雲　茅亭做豁誠快哉　仲遠　畫橋
無欄艇無槳　闇公　對景蕭瑟增徘徊　子有　樓臺倒影冰始
泮　文樵　臨河前序伊可懷　芷升　聯翩履綦集名勝　葆生　詩
情酒意紛相催　佩丞　比年兵禍祓難盡　晴初　丈夫肯作新
亭哀　公雨　努力談笑且相保　嘯麓　興酣落筆皆鄒枚　立庵
上章敦牂日上巳　蘇戡　卜夜聯詠酬樽罍　弢庵　末一年而
文樵闇公栗齋峻丞子申相繼逝世知交零落佳會難常

不勝感慨

覺花寮雜記卷四

苓泉居士輯

吾邑儒林肇於南宋道南講學首倡宗風由是喻子材尤延之蔣艮貴虞薇山邵國賢諸先生一脈相傳至東林顧高諸君子出遂極一時之盛本朝經學修明名儒蔚起而秦樹峯之五禮通考顧復初之春秋大事表顧宛溪之讀史方輿紀要三大著作皆貫穿古今羽翼經史海內戶誦家弦此其尤著者也

吾邑名臣傳中人物自以宋李忠定公爲第一若唐之李文肅宋之尤文簡明之邵文莊秦端敏楊莊簡周文簡顧端文高忠憲馬文肅本朝之嵇文敏文恭秦文恭孫文靖鄒壯節或以德望或以勳名或以忠節皆卓然爲一代名臣此外名宦循吏載於國史者指不勝屈大抵南宋人物

尙學問有明人物尙氣節昭代人物尙事業文章衡量累朝未能軒輊也

常郡八邑仕宦科名之盛吾邑與郡城相伯仲學宮前懸兩額曰六科三解元一榜九進士至國朝則六科四鼎甲（鄒忠倚順治壬辰狀元秦鉽乙未會元探花華亦祥己亥榜眼周宏康熙甲辰探花）六科四解元（乾隆戊午馬錦章辛酉龔錫純庚午馬國果壬申田玉）一榜十二進士（順治丁亥）有人議易學宮之額者或曰三解元中有顧端文九進士中有高忠憲科名以人重不可易也乃止至雍乾時臺閣封疆人材尤盛道咸以後乃漸衰歇自外曾祖侯少宰公（諱桐官吏部左侍郎）後無繼登八座者一邑氣運亦與國家盛衰相關繫

前清科名之盛首推蘇郡而常郡次之武進湯緯堂炙硯瑣談謂梁溪甲第仕宦不減毘陵考吾邑科第凡得狀元五

人榜眼三人探花六人會元四人解元十二人博學鴻詞三人其登甲科入詞林者不暇悉記也

九龍之秀二泉之靈生於其間者多得山水清氣尤邵顧高諸賢尙矣若虎頭之癡雲林之迂亦是千古兩絕畫品固入第一等人品亦當居第一流

袁隨園數毘陵人物曰洪顧孫楊顧爲吾邑立方先生楊則吾族蓉裳先生也立方先生之父爲星五先生弟爲學和斐瞻傳爰諸先生子姪爲蒹塘南厓諸先生蓉裳先生之叔爲笠湖先生弟爲荔裳蓮裳兩先生子爲伯夔先生女爲蕊淵女士皆一門風雅玉振金聲孫洪兩家所不及也

道咸以後歐學東漸吾鄉先輩發明最早天算則華若汀

先生蘅芳製造則徐雪村先生壽皆於舉世不爲之時研精絕學曾文正公專疏保薦有奇才異能之目吾鄉人士講求西學得風氣之先皆承兩先生之餘緒也

嘗爲馮申甫太守作蘭陵返棹圖序曰吾郡南襟笠澤北枕大江山川秀靈鍾爲都會十里鶯花之海五湖蝦菜之鄉文窗鈿閣面面看山畫舫珠簾家家臨水居民則事耕桑饒林圃采蔆之塘帶以蟹舍種橘之洲繚以魚陂風土號爲清嘉丹青圖其名勝誦此數語輒爲神往余黃塵烏帽久客天涯故鄉煙水之趣童時釣游之跡時懸夢想間乃屬吳君觀岱畫風景四幀聊當臥游並題跋語於後

東林爲楊龜山講學之地後廢爲僧庵明萬歷間顧涇陽高景逸兩先生重建書院壇坫之盛名滿海內其地在城

東弓河之右境極幽勝少年時弦誦校藝之場也　第二泉在惠山第一峰白石塢之下唐陸羽定天下泉品列爲第二由是著名泉有二圓爲上池方爲中池上池味尤甘冽泉上有亭亭之前爲漪瀾堂四圍多蒼松奇石堂與第一峰相對煙翠落軒窗間遊人多啜茗於此東坡詩所謂還將塵土足一步漪瀾堂也　出望湖門西南行一里許有石橋跨梁溪之上曰西定橋俗名五環洞橋其地風景絕佳風帆沙鳥菱蒲魚莊極煙波浩渺之趣鄒小山宗伯嘗寫爲圖此幀略仿其意　黿頭渚在五里湖濱自充山迤邐而下如黿之出水仰首空中有巨石突出俯瞰湖流孫平叔詩所謂天浮一黿出山挾萬龍趨也余弟翰西築亭其上雜蒔花木帶以茅舍竹籬山翠當屏湖光作鏡每

當春秋佳日裙屐招邀與榮氏之梅園並爲湖干勝地
吾鄉碧山吟社竹爐山房文采風流輝映泉石碧山吟社
則沈石田爲之圖邵文莊徐文貞爲之記竹爐山房則九
龍山人王孟端爲之圖（圖有四而九龍山人最著）吳匏庵程篁墩諸公
題詠成卷（具載邑志）蓋名山韻事必藉丹青翰墨以傳也山房
燬於咸豐兵燹近始重建高宗所賜王孟端溪山漁隱圖
（竹爐圖燬後御賜此圖以補之）失而復得今存裴伯謙處地在二泉亭上
余歸里時輒與知交觴詠其中吟社故址猶存而古樹荒
臺徒供後人憑弔安得風雅之士起而復此名蹟也
忍草庵在黃公澗之上屏巖枕壑境極幽敻國初顧梁汾
嚴蓀友諸先生於庵中結詩社湯潛庵汪堯峯陳其年姜
西溟咸來會有八景曰中天積翠習坎冷泉九峯晴雪五

湖煙雨戞雲寶鐸響月松濤怪石眠空秋林梵唄諸名人皆有題詠庵右有貫華閣高三層爲最勝處昔顧梁汾與成容若嘗以月夜登最高層屏從去梯品泉淸談閣中舊懸容若小像及所書匾額嘉道間閣有災匾像俱失余少時屢至庵中憑弔遺蹟嘗有修復之志乙丑冬始規度舊址鳩工重建於第三層築兩龕上龕祀容若梁汾下龕祔祀鄉先哲閣外四圍植松竹梧柳閣後爲松苓泉泉上種梅十餘樹取白石詞意題軒額曰舊時月色後山植楓柏數百株秋深紅葉滿山風景絕勝吳君觀岱作貫華閣圖樊樊山丈作賦丁闇公作記名流題詠詩詞裱成巨卷藏諸閣中爲忍草庵添一段故實也

吾鄉黃埠墩在蓉湖之中上建梵宇牓曰小金山樓閣參

差四圍多植垂柳西眺惠山形家言惠山九峯蜿蜒如龍此則龍之珠也咸豐庚申燬於兵燹亂後重修某君忘其名題聯曰九龍繞郭而來一顆明珠宛在芙蓉煙雨萬馬窺江已去半規浮玉金山一名浮玉依然楊柳樓臺旖旎風華眞才人之筆甲子復燬此聯恐亦無存矣又惠山淮軍昭忠祠李文忠聯曰將士用命臣豈有力焉是享是宜聖代卽今多雨露精魂何依余爲之歸也以妥以侑故鄉無此好湖山集句渾成措詞得體施叔愚先生建烈所撰先生爲吾鄉老名士詩文書法皆名家錄此以見一斑

顧星五先生序　先鴻博公雲逗樓集曰我朝稽古崇文旁招俊乂雖取士悉由科目而於鄉會試外時依古設科以蒐羅耆宿儁異之士是以聖祖詔舉博學鴻詞召試體

仁閣下中選者五十人悉入史館吾邑秦對巖先生巖藕漁先生預焉嗣憲皇帝亦開是科應舉者雲集都下會我皇上龍飛御極臨軒親試於保和殿先生方以選貢廷試欽定第一至是名復在乙等即入翰林百餘年間巍科大名與前喆後先輝映可謂盛矣　謹按乾隆丙辰博學鴻詞欽取一等五人二等十五人公廷試列二等第一入翰林

侯子勤先生序　先高祖母劉太夫人鋳心集曰節母孀居有王媪日侍左右雖窮餓不去鍼黹井臼皆媪主之故得盡力於詩雖天之所以待節母者至深且厚而媪之忠於所事亦可風也　梁溪續詩鈔曰汝藻生自相門幼承家學其論詩曰閨閣詩性情爲上音節次之才華又次之

識者以爲知言

先曾祖桂巖公與劉芙初先生爲中表兄弟少同硯席才名相亞芙初先生登上第入翰林聲華藉甚公苜蓿冷官名位未顯然況梅齋詩後學至今弦誦選家許之以樸猶未盡也 跋梁溪續詩鈔

先祖名宧公從梅伯言先生遊得古文師法制舉文尤爲海內傳誦詩不多作詩鈔所選蓋從邵氏家譜中錄出者也 跋梁溪續詩鈔

劉石香先生跋 先資政公修竹吾廬詩文集曰先生清修樸學家門華膴而被服儒素淡於時名文師東漢詩學中唐所著自序一首雋旨名言爲時傳誦 梁溪續文鈔書後

先妣張太夫人出婁東名族自天如先生後代有聞人少

授詩學於仲舅蓀鄂先生最喜鄉先輩吳梅村詩余七八歲時即授以永和宮詞琵琶行圓圓曲諸篇著碧玲仙館詩鈔斷句云枕上臉潮和酒暈鏡中眉黛帶愁描雙鴛旖旎圍珊枕千蜨伶俜簇繡裙風格雅近梅村

名宦公與李文忠公甲辰鄉試同年丁未會試同號舍文忠公首次藝甫畢而疾作公爲料理湯藥足成三藝扶掖出闈遂同捷南宮故於同年中交誼最篤迨文忠公出秉旄鉞公已先卒諸父起家戎幕洊著勳伐猶承遺蔭也

宋楊再興戰死小商河事黎園爨演婦孺豔稱余考之史册家譜知爲吾族先烈也史稱再興爲岳忠武部將屢破金兵臨潁之戰以三百騎偵敵殺金兵二千餘馬陷小商河爲敵人叢射死張憲岳雲繼之大敗金人收其屍得箭

鏃二升譜稱再興為忠襄公幼子吾族遷錫始祖伯璿公之弟公與岳忠武深交以弟託之屢立戰功卒死於小商河是忠襄公父子殉國再興以武節自奮為名將為忠臣足以光家乘矣吾錫楊氏代有忠烈宋將仕郎諱宗逵父子拒元兵戰死明給諫淮諫南巡杖死觀察夢槎從征金川陷賊賊踞求然炮法公紿以裝藥過度炮裂與賊俱糜

吾　嗣祖菊人公咸豐庚申率民團守城城陷罵賊死

吾家八世祖姑為稽留山先生之配先生殉義後守節撫孤子文敏公會筠孫文恭公璜兩世宰相御賜忠節流芳額雍正十二年文敏公丁母憂詔曰大學士嵇會筠之母楊氏撫孤守節教子成名前已特賜旌表今壽登耄耋榮封極品疾終官署可加恩賜祭一壇賞銀千兩治喪云云

宸藻褒寵輝耀門楣至今吾族道長巷舊宅猶有紅牆門
之稱文恭公亦爲　七世祖自亭公之壻　鴻博公雲逗
樓詩集中有東稆拙修妹丈之作
吾族蓉裳先生集中有夜明蝦賦序云乾隆癸未秋初清
華從祖招諸子姪小集池上雨過夜靜荷開水香酒闌離
坐俯檻眺矚見流光繹繹池底如織因命僕人網而出之
得蝦大者盈寸小如黍粒俱表裡晶瑩滅燭視之光照几
席眾共歎異因考箋疏及古書均未之詳也惟金樓子云
帝舜時海民來獻珠蝦夜明有光此其類歟匪惟家祥抑
亦國瑞從祖命各以文辭紀之余以丱角隨父兄後敬爲
賦云　謹按清華公與　鴻博公爲胞兄弟宅與鴻博第
相連今經笙叔家池上草堂即其地也雖不復覩夜明蝦

之異而方塘如鏡水木明瑟風景絕勝羣從常讌集其間管社山下有楊園吾族紫淵先生之別業也先生爲清初人武勇絕倫手一鐵鞭重五十斤一家之人皆善技擊圍瀕湖爲盜藪盜魁嘗貽書借糧先生牓門曰紫淵本無錢門前只有鞭一夕盜大至先生令家人毋動獨攜鐵鞭禦之縱橫決盪格殺數十人自是盜不敢犯其地屏山帶湖景絕幽勝園雖蕪圮而二百年來未易他姓後人說部記先生軼事頗劍俠一流不免有附會處

瑞安黃漱蘭師視學江蘇闢南菁講舍以經古課士通才蔚起如通州范鐘朱銘盤武進劉毓麟吳縣曹元弼鎮洋畢光祖吾族範甫兄模其尤著者也南菁甄別以七洲洋賦命題範甫兄作冠場傳誦徧大江南北原評謂上追班

張下視徐庾推奬至矣兄少游粵東及陳蘭甫先生之門古文駢體醇茂淵懿胎息漢魏詩則力宗盛唐遨遊南北名重公卿居張文襄幕中最久晚年以興學燬家著作煨燼身後所刻詩文寥寥數十篇都非生平傑作余少年學問多得兄指授淵源有自不敢忘也

癸丑以來都門士大夫盛行鉢社推樊樊山郭春榆易石甫諸老爲祭酒余亦時時闌入其中鉢社者取擊鉢催詩之意每月一二集每集二三課詩成付謄錄錄成送校閱試官以上課之元充之題多詠事詠物體多七絕限時限韻不限卷數才敏者每課輒七八卷迫於晷刻不暇求工然詩之佳者佇興而成如秋水芙蓉不假雕飾刻意苦吟轉不能逮余社作多不存稿今就同人所賞許者憶錄數

首於下我聞室柳如是所居限虞韻丈室天花夢不孤絳雲捧硯得清娛碧闌干外雙紅豆採作牟尼一串珠易石甫賞之嘗同遊南海指琉璃闌曰此碧闌干也惜無雙紅豆爲君詩寫照耳綠珠井飲此水者生女多美麗歲久湮塞嗣後生女美者五官輒有缺陷限冬韻金谷樓高鎖玉容落花香浣井華濃珊瑚敲碎明珠賤露冷銀牀碧甃封王義門賞之謂寫題面極風華寫題意極渾脫女兒酒紹興俗生女即釀酒嫁時以伴奩限微韻鏡湖春暖麴波肥湖上家家抱甕歸釀得桃花好顏色莫教痕涴縷金衣楊妃病齒圖限寒韻香濕鮫綃唾不乾瓠犀微露怯春寒荔支虛費西川貢一騎紅塵欲笑難女道士卞玉京像限肴韻舞袖飄零鈿扇拋法華七卷手親鈔青燈古佛祇陀寺黃葉蕭蕭自打包吳梅村臨春閣傳奇集句限先韻

南部新詞托管絃電發鬢絲愁絕杜樊川甌北可憐一片秦淮月梅村會向臨春閣外圓松坪蓮花博士限陽韻乞祠歸卧鏡湖旁別署新銜奏緑章消得花神齊下拜風裳水珮萬紅妝以上諸首似尚有風韻此外取前列爲友人選錄者尚多然往往押險韻用僻典鬥異標新味同嚼蠟矣

余以甲寅歲主計山左居布政使舊署署有西園擅水石花木之勝宋海棠兩株爲曾南豐手植花時如張錦幄纓絡四垂誠奇觀也錄燧兒所作西園記於後

濟南於山東爲省會有湖山之美泉石之饒名勝聞天下士大夫宦於此者往往愛其山川樂其風土雖去而不能忘一城之中民居占其五大明湖占其三官舍占其二官舍之勝以布政使署西園爲最甲寅之冬家大人主計山東余從至

官舍與吾弟通誼讀書於西園園中古樹參天綠陰四匝中有廣廳翼然五楹軒窗洞敞廳前後有海棠兩株高數丈大十圍當春花開如展錦幄相傳爲曾南豐手植蓋近千年矣廳之前爲池約畝許水波澄清有魚數百尾游泳於青萍碧藻之中傍橫小橋由橋而南數十步得一亭額曰毓秀四周多奇石若奔若倚若坐若揖若虎豹之登於山牛羊之飲於澗由亭前行有石船焉半入池中額之曰不繫舟由船而南曰寒碧山房前臨廣池周以曲闌荷花萬柄槐柳四垂夏月居之可以忘暑循廊而南數十步得玉乳泉爲池水發源之所其流仰出跳珠噴雪其音鏘然如鳴珮環蓋七十二泉之一也由泉而西爲寶蓮峯怪石參差上爲平臺下爲巖洞折而北樹益古石益奇又數十

步得小山山巔有茅亭家大人所增建以資觀覽登臨之娛者西望大明湖碧波萬頃水天一色漁舟游舫出沒柳堤蘆港之間而其東則歷山蒼翠奇秀虞舜之所畊也四望城中街衢洞達邑屋華麗蓋十餘萬家想見富庶之風焉蓋余兄弟居此園者二年凡一樹一石一花一草皆余所撫摩而愛玩雖去而不能忘夫古之爲政者必有游息之地高明之具使心志淸甯耳目昭曠然後政舉而事成方家大人始至魯值變亂之後公私掃地赤立及其旣也人和歲豐民樂其業庫有餘財一二年之間百廢咸舉以其暇日游覽斯園山水鳥魚之樂澹然自若也柳子厚所謂裨諶謀野而獲宓子鼓琴而理然則斯園果爲政之助歟自家大人去魯財政廳遂改爲軍署昔之亭觀今爲牧馬

之壜而魯之政治亦非昔比矣盛衰興廢之理可無慨乎

大堂前有鳳翥石高一丈四五尺嵌空玲瓏狀若翔鳳洞天奇品也陸文端公過省垣訪余於署指此石歎曰余任山東學政此石初立衆以爲余瑞布政司觴客延余上坐今三十餘年人世滄桑而此石如故撫摩太息久之

丙寅九秋余薄游滬上訪隨菴主人徐君積餘出示女道士韻香空山聽雨圖共四冊原圖爲奚鐵生所繪已失去補圖四一爲許玉年乃穀一爲呂培一爲沈旭庭梧一爲葉蘭台衍蘭題詠者若劉石菴英煦齋梁山舟洪北江孫淵如趙味辛楊蓉裳父子秦小峴陳雲伯張船山吳蘭雪會賓谷劉芙初吳山尊郭頻伽李申耆陸祁生孫平叔顧晴芬以下共九十餘人卷中有韻香小像道裝執拂瀟灑

出塵蘭台所摹也按韻香王姓名嶽蓮自號清微道人所居曰福慧雙修菴工翰墨交遊皆名士余藏有墨蘭小幀風致娟秀無時俗脂粉氣又見楷書柳如是小傳筆法仿黃庭經極遒媚今玩是圖益想見當日縑紈投贈裙屐流連以一女冠爲海內藝林引重洵不虛也距吾居數十武有尼菴水木明瑟境絕幽勝相傳韻香嘗薰修於此菴左隙地數弓前倚柳塘後臨蓮沼擬於其間建精舍三楹題曰福慧雙修菴爲吾邑留一韻事也丁闇公著有福慧雙修菴小記余采入叢書　庚午秋社友集於雲在山房以空山聽雨圖爲題余塡聲聲慢詞曰冷紅庭院瘦碧簾櫳曇雲低護瑤天小雨櫻桃愔愔潤到琴絃空隨萬花彈淚向蒲團自懺塵緣傷薄命但黃紽學道翠帔游仙　遙想

楞嚴誦罷便瀟瀟禪閣靜對爐煙椶拂葵衫替他寫上吳箋誰憐曼陀轉劫負三生慧業青蓮人去也問蘭亭眞蹟今落誰邊奚鐵生原圖上有某相國題字不願流落人間乃爲蘭亭之賺見陳雲伯畫林新詠

余家舊僕梁國泰山東人武勇絕倫咸同間從　先伯父京卿公辦鄉團屢立戰功邑志爲立傳今又見某君茗邊一覽紀蔣廚子事因錄之蔣廚子者句容人幼習皮匠飯量逾常人不足自給遂棄業入茅山叩見老道願爲役乞授一技老道允之命取廟門左石卵一堆晨飛至右夕又飛至左以盡爲度年餘令吹燈一呼一吸始僅離數尺旋至一二丈外初爲油盞繼爲蠟燭久之火能隨氣旋轉且能駭長倍餘居山三載老道應友之約較劍去蔣遁歸入市購炊餅炙手未可握使氣吹餅氣抵肆主胸立踣肆夥

欲執之蔣見肇禍攜餅逸流浪江湖輾轉而隸楊藝芳先生部下太平軍圍守毘陵攻城時蔣左手執籐牌緣雲梯登城城上擲石如雨蔣一一接之飛石還擊無不中城破蔣與有力焉事平敘功授軍職使之去不允先生歸林下蔣仍爲廚丁畢生忠其所主薄世不易見者蔣於暇時削竹爲簽扣以絲線竹附泥丸臨河擲魚輒中實爲捕魚新法其目力腕力可想見矣蔣之師老道劍法殊精北地技擊家無不知咸同間有茅山道士也

庚午小陽月

貫華叢錄

壺公題

貫華叢錄序

冰雪一卷辟俗常攜風雨高樓斯文興感九原可作君子有如玉之温五湖匪遙後世思鑄金以事貫華閣者近當惠麓遠隔麗譙後越吉雲前横繡嶂中天積翠接上帝之高居飛閣流丹賦詞人之華屋舊傳梁汾棲止容若訪之蓋在此云當頭見月情異南都造膝去梯事殊江夏明明可掇穆穆始波晏晏笑言陶陶永夜綢繆膠漆雖重雷陳慷慨河梁仍乖蘇李匝歲桑榆之別山鬼能知一坯皂莢之封水仙堪配（桑榆墅即貫華閣見彈指詞跋 容若北歸一年卒葬皂莢村）吁其戚已夫以容若生長朱門欽遲白屋冰山未鋉黃土先埋豹尾屬車每依春殿烏頭馬角終返秋笳梁汾處賓館以尋盟覩闕門之生入五年季子塞北方回三十侍中江南重見

虛堂留影繡作平原香界更名龕成白傳華嚴彈指幸遘檀施劫火驚心已灰蘭若屯田歸去空思柳岸醒時淮海魂來難覓藤陰醉處苓泉居士眷然懷舊密爾自娛憩竹鑪之間房葺草庵之廢址句曲三層之閣不日而成樵蘇一夕之談前塵安在遂乃廣輯遺聞旁咨故老椎輪初地見林蕙之疏詞叢桂小山得天香之卷子寒泉秋菊分薦鄉賢初日芙蓉徧徵題句傳諸好事郎南部之新書敦彼薄夫視東林之風義此則移風易俗別具深心操縵運斤易如反掌者矣僕與苓泉異姓塤篪同音笙磬花間小集長吟飲水之詞梓里言旋尙待買山而隱他日積書巖畔同理牙籤側帽圖中先尋金粟林泉無恙看新築之登登金石不渝作軒天之磊磊則斯錄也其亦息壤之誓言結

鄰之左券乎癸酉閏五月蘭陵趙椿年序於舊京漢魏五

碑之館郎王氏青箱堂潘氏滂喜齋故宅

貫華叢錄

苓泉居士輯

忍草庵在章家隝山腰中明萬歷間有僧結廬於此顧夔州與沐築庵廣之結詩社顧燝顧埜顧熲華長發僧讀徹分韻賦詩其中黃家舒募置齋田禪室清涼虬松成列無風自濤爲山中勝景國初顧典籍貞觀嘗邀集陳維崧姜宸英嚴繩孫輩結詩會於庵之貫華閣納蘭成德亦嘗過焉留小像而去先後諸名流皆有忍草庵八詠與詩僧居溟一性相倡和曰中天積翠習坎泠泉九峰晴雪五湖煙雨戛雲寶鐸響月松濤怪石眠空秋林梵唄乾隆初顧觀察光旭讀書貫華閣中嘉慶初有陽羨僧德成來此重加葺治孫文靖爾準讀書庵中庵麓有古姬人墓顧秀才廷文弔之以詩志 慧山

忍草庵在無錫惠山第一峰之東曰章家隝山勢如箕展兩足中高陡削山半有平坡方廣二十餘丈庵正背山前俯絕澗右倚石壁左有徑庵門闢焉春秋佳日士女遊觀都攘攘於九峰二泉間而此獨以地僻擅淸幽之勝國初邑諸生顧景文中允巖繩孫輩數於庵結詩社他邑來會者睢州湯文正斌長洲汪若文琬宜興陳其年維崧慈谿姜西溟宸英而顧氏父子昆季迭主其間爲最久因目爲桑榆墅又輯諸名人壁間留題彙而刻之命曰忍草庵題壁於時遊詠所及著有八景如左

中天積翠　庵後及左右倚山爲屛古松成列蔽虧天日彌望積翠四時若滴

習坎冷泉　庵右爲貫華閣閣前地險而陷有泉舊名松

苓泉相傳地產茯苓澗水所自出東注二百餘步環而北灌溉於山下平疇流行不息有習坎之義焉邑自明季顧高二氏講學東林八景出詩社類皆東林裔遂有此稱又有蟹眼泉自庵左下行山麓二百五十步當出塢舊徑旁有泉二圓徑三尺許並列若蟹眼因名其味淸腴亞於松苓中有玉蟹僅二寸許居民往往見之

九峰晴雪　惠山九峰相接蜿蜒如龍又名九龍猶言龍有九曲也庵背第一峰而居猶龍之有齦首尾皆出其後此蓋統從全山延攬之景

五湖烟雨　五湖太湖也惠山南面皆太湖庵正東向左右山如翼張自庵右望山盡處露湖光一角遠接蘇州府界

戞雲寶鐸　邑有二塔附南郭者曰妙光塔與庵門正相望距五里而遠在錫山顚者曰龍光塔亦與庵望少偏左而近在半里許風摽鈴語淸韻時聞焉

響月松濤　庵孤峙隖中四無人聲月夜夐絕天籟自鳴明兵部職方郎中王永積錫山景物略云忍草庵在章家隖之山腰行石徑里許古冢纍纍得平坦地數十丈初止茅屋數椽顧夔州與沐捐貲拓之山門闃寂靜室淸涼虬松謖謖不風自濤

怪石眠空　庵後高峰石皆戴土而出橫立側臥其狀不一近巓處依石築拜經臺自庵仰望臺下偏左一箭許有石如人日影中傴僂若行尤爲奇特

秋林梵唄　古無梵唄字漢街彈碑芃芃黍稷梵即芃之

異體古音通諷釋典借譯諷經爲梵故徐鉉說文新附梵字云出自西域釋書魏陳思王曹植嘗登魚山聞巖岫有誦經聲淸婉遒亮遠谷流響遂依擬其聲而製梵唄至今傳之當晨昏課誦淸韻悠揚氣肅山空最宜於秋深木落時

貫華閣在伽藍堂右康熙初年僧聲叔建凡三楹其高三層後倚峭壁前臨絕澗卽習坎冷泉也中懸貫華閣楄爲滿洲納蘭性德書憑闌遙望城郭溝渠歷歷可數當天氣淸朗日西斜時蘇郡之北寺塔虎邱塔皆見於百里外實據全庵之勝故文人學士探幽習靜都集於此邑諸生習舉業者每假榻誦讀其中輒以科名顯康熙三十六年杜雲川詔高若黎躍龍潘讓卿果陸龍光慶元四人相約襆

被讀閣中先後舉於鄉杜與潘皆成進士杜入翰林潘授湖南辰州府永順同知高係順天南元陞官戶部主事雍正十三年四人猶老健相與登閣賦詩訪諸舊僧已無一人在矣乾隆時顧華陽光旭孫文靖爾準亦先後讀書其中發解成進士皆位至通顯以上節錄劉石香忍草庵志

顧貞觀字華封號梁汾慕元末隱士崑山顧德輝之為人嘗效其號曰金粟初名華文為諸生以江南奏銷案被黜遂更今名至都援例入成均尚書合肥龔端毅鼎孳見其題寺壁詩有落葉滿天聲似雨關卿何事不成眠句遂相延賞名譽大起康熙三年考選授秘書院中書舍人五年舉順天鄉試十年移疾歸十五年大學士明珠重其名具賓禮延致相府貞觀雖處要地狷潔自好詩文外落落寡

交屢求去而明珠子性德雅與貞觀善數止之乃僑居千佛寺先是吳江吳兆騫以科場事戍寧古塔貞觀苦憶之時冬夜冰雪作金縷曲二闋寄兆騫云季子平安否便歸來平生萬事那堪回首行路悠悠誰慰藉母老家貧子幼記不起從前杯酒魑魅搏人應見慣總輸他覆雨翻雲手冰與雪周旋久淚痕莫滴牛衣透數天涯依然骨肉幾家能彀比似紅顏多命薄更不如今還有只絕塞苦寒難受廿載包胥承一諾盼烏頭馬角終相救置此札兄懷袖我亦飄零久十年來深恩負盡死生師友宿昔齊名非忝竊只看杜陵窮瘦曾不減夜郎僝僽薄命長辭知己別問人生到此淒涼否千萬恨為兄剖兄生辛未吾丁丑共些時冰霜摧折早衰蒲柳詞賦而今須少作留取心魂相守但

願得河清人壽歸日急繙行戍槀把空名料理傳身後言不盡觀頓首性德見之泣下曰河梁生别之詩山陽死友之曲得此而三此事三千六百日中當以身任之貞觀曰人壽幾何請以五載爲期性德諾乃白於父一日明珠方讌集坐間手巨觥引滿謂貞觀曰若飲此爲救漢槎漢槎兆騫字也貞觀素不飲至是一釂而盡明珠壯之笑曰予戲耳君即不飲予豈不救漢槎者二十年兆騫得釋歸初不知貞觀力也因詣明珠謝留府中閒行入一室則見壁上書一行曰顧梁汾爲吳漢槎屈膝處兆騫始感泣再拜以語貞觀貞觀無懟言無德色未幾還家於惠山端文祠旁構積書巖與秦松齡嚴繩孫觴詠其中邑人目爲三老又結詩社於忍草庵性德過訪嘗共宿庵中留小像而别

性德卒貞觀傷之爲新其庵易名香界以祀遺像年七十八無疾卒所著有楚頌亭詩集六卷徵緯堂詩一卷纑塘詩一卷彈指詞二卷節錄劉石香撰顧梁汾詩傳

容若初名成德後避嫌諱改性德滿洲正黃旗人納蘭本作納喇葢其族容若其字也又號楞伽山人康熙十一年年十八舉順天鄉試出徐乾學之門十五年成進士選授乾清門侍衛父明珠方入閣秉鈞權位隆盛性德隱有持滿憂居恒若戚戚於富貴而以貧賤爲可安者所著長短句哀怨騷屑不類高門貴胄葢中有積感人莫喻也好接引寒素一時懷才耿介之士皆樂與交嘗以千金贖吳兆騫罪於塞外事詳顧貞觀傳而與貞觀交最厚二十三年性德扈駕南巡抵無錫訪貞觀於家偕陳維崧止庵

中庵右有貫華閣爲最勝境性德嘗月夜同貞觀登閣第三層屏從去梯作竟夕談又嘗品茗二泉性德年甫三十丰采甚都貞觀長性德十八歲鬚鬢已蒼兩人往來空山煙靄中攜手相羊人望之疑爲師若弟而不知忘年交也瀕行留小像而去明年卒哀輓之詞數十百人尚書崑山徐乾學誌墓銘尚書長洲韓菼撰神道碑時庵不戒於火旁舍被焚殿宇剝落貞觀謀鼎新之奉性德遺像於其中爲香火地因更名曰香界貞觀卒小像藏貫華閣庵僧守之前後名流題詠殆遍嘉道中閣有災遂亡性德所著長短句初名側帽集後更名飲水詞卓然成家有南唐二主之遺至今言倚聲者無貶辭焉節錄劉石香撰成容若小傳　按容若桑榆墅同梁汾夜坐詩朝市競初日幽棲閒夕陽登樓一

縱目遠近青茫茫衆鳥歸已盡煙中下牛羊不知何年寺鐘梵相低昂無月見村火有時聞天香一花露中墜始覺單衣裳置酒當前檐酒若清露涼百憂茲暫豁與子各盡觴絲竹在東山懷哉詎能忘

錫山攬勝古有草庵金地重新茲名香界蓋清江刺史親荷鍤以誅茅而蒼雪大師自浮杯而證果者也街升秀嶂久歷經行鴟出吉雲恒多棲息冠九龍而直上獨高龍樹之風淩一鷲於孤騫是爲鷲峰之境豈意纖埃之忽入幾遭大刼之全灰茲幸粱汾居士偶返故山念彼楞伽山人實爲好友解驂贖客脫才子於流離置驛延賓以名流爲性命負信陵之意氣而自隱於醑酒美人有叔原之詞章而更妙於舞裙歌扇昔經斯地願把臂以入林遙指茲峰

可同心而藉卉何其半生遺世曾不染於微塵遂爾一笑淩雲竟永辭於幽壤偶因殘墨爰展遺型聽橫笛於斜陽心傷向秀奏鳴絃於流水夢斷鍾期將留幻影於虛堂用表知音於來禩乃有晉陵之仙尹見義勇爲更得申浦之賢侯聞聲助善共捐廉吏之俸用表親仁兼全良友之情尤堪化俗但義舉何容獨任而勝事必賴衆擎用告同心共爲協力山神運木便成七寶之臺童子聚沙即是千花之塔檀施勿悋荄福攸歸吳園次募脩香界疏　按詩僧讀徹即梅村詩中所稱蒼雪法師也國初至邑北蓬萊閣演講華嚴尋駐錫庵中故疏有浮杯證果之語

金粟顧梁汾舍人風神俊朗大似過江人物無錫嚴蓀友詩瞳瞳曉日鳳城開才是仙郎下直回絳蠟未銷封詔罷

滿身淸露落宮槐其標格如許畫側帽投壺圖長白成容若題賀新涼一闋於上云德也狂生耳偶然間緇塵京國烏衣門第有酒惟澆趙州土誰會成生此意不信道竟逢知己痛飲狂歌俱未老向尊前拭盡英雄淚君不見月如水與君此夜須沉醉且由他蛾眉謠諑古今同忌身世悠悠何足問冷笑置之而已尋思起從頭翻悔一日心期千刧在後身緣恐結他生裏然諾重君須記詞旨嶔奇磊落不啻坡老稼軒都下競相傳寫於是敎坊歌曲無不知有側帽詞者 徐電發詞苑叢談

錫山聽松庵僧性海製竹火爐王舍人過而愛之爲作山水橫幅并題以詩歲久爐壞盛太常因而更製流傳都下羣公多爲吟詠圖既失詩猶散見於西涯篁墩諸老集中

粱汾典籍仿其遺式製爐恒歎息舊圖不可復得及來京師忽見之容若侍衛所容若遂以贈焉未幾容若逝矣丙寅之秋粱汾攜爐及卷過余海波寺寓適西溟青士愷似三子亦至坐青藤下燒爐試武夷茶相與聯句成四十韻明年粱汾將歸用書於册以示好事之君子朱竹垞竹爐聯句詩序

按粱汾重製竹爐告成詩有鬢絲如鶴伴茶煙之句容若和之兩詩均載邑志

杜雲川曰彈指與竹垞迦陵埒名迦陵之詞横放傑出大都出自辛蘇卒非詞家本色竹垞神明乎姜史刻削雋永本朝作者雖多莫有過焉者雖然緣情綺靡詩體尚然何況乎詞彼學姜史者輒屏棄秦柳諸家一掃綺靡之習品則超矣或者不足於情若彈指則極情之至出入南北兩

宋而奄有衆長詞之集大成者也　沈歸愚曰梁汾臨沒
時自選詩一卷授門人杜雲川太史雲川付梓人以傳不
滿四十篇皆味在酸鹹外者
納蘭成德侍中與顧梁汾交最密嘗塡賀新涼詞爲梁汾
題照有云一日心期千刧在後身緣恐結他生裏然諾重
君須記梁汾答詞亦有結託來生休悔之語侍中沒後梁
汾旋亦歸里一夕夢侍中至曰文章知己念不去懷泡影
石光願尋息壤是夜其嗣君舉一子梁汾就視之面目一
如侍中知爲後身無疑也心竊喜彌月後復夢侍中別去
醒起急詢之已卒矣先是侍中有小像留梁汾處因隱寓
其事題詩空方一時名流多有和作今存惠山草庵貫華
閣按忍草庵舊名草庵　湯緯堂炙硯瑣談
謹按　先君子弔顧益壽殤冢

詩不負前生約曇花了夙因鑄金多作淚埋玉又成塵白髮塡詞客紅牙按曲人空山來酹酒憑弔共沾巾註曰忍草庵側有顧盆壽殤冢相傳爲顧梁汾之孫成容若之後身也

納蘭容若成德滿洲相國子少有雋才尤工塡詞中翰顧梁汾貞觀入京一見投契結忘年交嘗爲梁汾題照有後身緣恐結他生裏之句越數年容若卒年甫及立耳後梁汾家居一夕夢容若至曰吾來踐約矣厥明報仲子舉一孫梁汾心異之覘其生命決其必夭遂名之曰盆壽資甚聰穎十一歲而殤時梁汾居惠山積書巖夜夢容若曰吾踐約爲子孫今去矣家人不予棺而欲以席裹我何待我薄也梁汾淩晨歸而盆壽已死問家人無席裹事詢其母

日有之始死殮姑將具木治棺姑以兒幼取肆中棺殮之母以市棺薄心恚哭言不如蓆裹也粱汾急命治棺厚殮之葬惠山忍草庵下終粱汾世歲必再至布奠泫然也黃堯咨錫金識小錄

按此條與炙硯瑣談略有不同並存之

楊蓉裳飲水詞鈔序曰倚聲之學惟國朝爲盛文人才子磊落間起詞壇月旦咸推朱陳二家爲最同時能與之角立者其惟成容若先生乎陳詞天才豔發辭鋒橫溢蓋出入北宋歐蘇諸大家朱詞高秀超詣綺密精嚴則又與南宋白石諸家爲近而先生之詞則眞花間也

秦小峴梁谿雜事詩貫華高閣倚空潭滿隝松雲冷佛龕名士傾城等銷歇一僧閑坐夕陽庵註云忍草庵在惠山春申澗側其最高處爲貫華閣顧貞觀嘗招納蘭成德陳

維崧姜宸英止宿於是成德留一小像而去舊傳其上有
古姬人墓見邑志
顧嚮泉訪貫華閣舊讀書處詩殘僧遺履跡破屋閟苔陰
註云舊有僧禮佛閣中著足處有跡窪然
成容若十七爲諸生十八舉鄉試十九成進士二十二授
侍衛天姿英絕蕭然若寒素擁書數萬卷彈琴歌曲評書
畫以自娛不知爲宰相子也書學褚河南善騎射自入環
衛益便習發無不中扈蹕塞垣琱弓牙箭環列冪帳以意
製器多巧倕所不能到嘗讀趙松雪自寫照詩有感即繪
小像仿其衣裝座客或期許太過皆不應徐東海曰爾何
酷似王逸少乃大喜阮吾山茶餘客話
吳漢槎兆騫戍甯古塔行笥攜徐電發釚菊莊詞成容若

德側帽詞顧梁汾貞觀彈指詞三册會朝鮮使臣仇元吉徐良崎見之以一金餅購去元吉題菊莊詞云中朝寄得菊莊詞讀罷煙霞照海湄北宋風流何處是一聲鐵笛起相思良崎題側帽彈指二詞云使車昨渡海東邊攜得新詞二妙傳誰料曉風殘月後而今重見柳屯田以高麗紙書之寄來中國漁洋續集有新傳春雪詠蠻徼織弓衣指此同上

葉鞠裳昌熾藏書紀事詩年少金閨游俠兒不工挾彈善塡詞高齋賓客今何在腸斷摩挲玉印時註云謙牧堂揆愷功藏書處也容若曰珊瑚閣武進費屺懷藏容若玉印一面鐫繡佛樓一面鐫鴛鴦館　按揆敘字愷功亦明珠之子

惠山忍草庵中舊有貫華閣爲顧梁汾及成容若去梯玩月處容若以康熙二十三年扈駕南來訪梁汾於惠山與姜西溟陳其年同宿庵中明年遽卒梁汾傷離感逝時見於詞彈指詞大江東去結句等閒辜負第三層上風月跋云嗚呼容若已矣余何忍復拈長短句乎是日狂醉憶桑榆墅有三層小樓容若與余昔年乘月去梯中夜對談處也因屬此調落句及之又桃源憶故人結句還擬他生重借領袖鴛鴦社容若搆一曲房嚴藕漁書其額曰鴛鴦社此詞亦容若亡後作也梁汾謂非才子不能多情非文人不能善恨觀此益信脩竹吾廬隨筆

謹按陳其年卒於康熙壬戌五月容若以乙丑年扈駕南來時其年已沒矣迦陵集有寒夜登惠山草庵貫華閣詞調寄繞佛閣云亂峰堆髻

夕景木末殘雪厓際一派空翠瓢堂語悄山窗落松子小樓欲墜斜嵌巖壑蹲若奇鬼暝色晴靄鬢絲禪板渾忘在人世開士暮歸鉢向石橋深磵洗客坐松寮鐘鳴黃葉寺喜今夜關河一碧千里感傷身世看六代青山月華如水是千秋倚闌人淚据此詞是其年曾宿庵中特非與容若同時耳前載容若桑榆墅夜坐詩玩其詞意似非玩月時光景蓋容若宿庵中亦不止一次也

貫華閣被燬歲月不可考吾家伯夔先生貞松閣詩集有與施雪帆游忍草庵登貫華閣之作（當在嘉慶癸酉之前）而趙艮甫樂潛堂詩集則云忍草庵舊藏納蘭容若遺像并所書貫華閣額重九後二日偕鍾士奇訪之額像俱已燬棄慨然題壁詩中有貫華閣子夢中鹿飲水詞人天外鴻之句集

中編是詩於道光壬午下第詩之前（壬午爲道光二年）楊趙皆嘉道間人楊題詩時閣尙存至趙題壁時則已燬矣以此考之閣當燬於嘉慶末年也孫文靖公（爾準）嘗讀書貫華閣泰雲堂詩集中有尋忍草庵舊讀書處之作益在移撫福建之時閣燬之後詩中松老苔荒雛僧頭白殆不勝感慨系之（同上）　謹按脩竹吾廬隨筆爲　先君子所著愛忍草庵之幽勝暇輒往遊欲結廬而未果

惠山忍草庵其地遊跡罕到三月有肩輿至寺一女年四十許舉止嚴肅詣蓮座禮拜畢至貫華閣凭闌遠眺題有七律中二句曰千樹皈依參碧漢萬峯羅列拜空王頗佳（竇叔英錫金續識小錄）

納蘭容若爲國初第一詞人其飲水詩塡詞古體云詩亡

詞乃盛比興此焉託往往歡娛工不如憂患作冬郎一生極顦顇判與三閭共醒醉美人香草可憐春鳳蠟紅巾無限淚芒鞋心事杜陵知祇今惟賞杜陵詩古人且失風人旨何怪俗眼輕塡詞詞源遠過詩律近擬古樂府特加潤不見句讀參差三百篇已自換頭兼轉韻容若承平少年烏衣公子天分絕高適承元明詞敝甚欲推尊斯道一洗雕蟲篆刻之譏獨惜享年不永力量未充未能勝起衰之任其所爲詞純任性靈纖塵不染甘受和白受采進於沈著渾至何難矣嘅自容若而後數十年間詞格愈趨愈下東南操觚之士往往高語清空而所得者薄力求新豔而其病也尖徵特距兩宋若霄壤甚且爲元明之罪人箏琶競其繁響蘭荃爲之不芳豈容若所及料者哉 况夔笙蕙風詞話

梁汾營捄漢槎事詞家記載綦詳惟梁溪詩鈔小傳注兆騫旣入關過納蘭成德所見齋壁大書顧梁汾爲吳漢槎屈膝處不禁大慟云云此說它書未載昔人交誼之重如此又宜興志僑寓傳梁汾嘗訪陳其年於邑中泊舟蛟橋下吟詞至得意處狂喜失足墮河一時傳爲佳話說亦僅見亟坿箸之 同上

納蘭容若密室曰鴛鴦社葬處曰皂莢村杜雲川詩此照還同此閣存幾人能唱憶王孫風流休歎鴛鴦社只是傷心皂莢村登貫華閣觀容若三十小像作也生長華閥給事禁闥出入扈從嘗在屬車豹尾之間其南苑雜詠和蓀友韻云宮花半落雨初停早是新涼徹畫屏何必醒泉堪避暑藕綠風好水西亭離宮近繞綠蘋洲冰簟銀牀到處

幽好是萬幾清暇日親持玉勒奉宸遊太液東頭散直遲
一雙水鳥掠楊枝從臣獻罷平滇頌坐聽中涓報午時進
來瓜果每承恩豹尾前頭拜至尊正是日斜花雨散傳呼
聲在翌春門幔展青羅一色裁璅窗深映拂雲槐重簾那
得微風入葉葉荷聲急雨來黃幄臨池白鳥飛金盤初進
膾魚肥太平時節多歡賞絲絡雕鞍半醉歸射生纔罷晚
開筵十部笙笳動暝煙月上南湖波似練幾星燈火是龍
船輕絲蜀錦護銀塘誰許延秋報早涼縹緲蓬山應似此
不知何處白雲鄉纔翻急雨暗金河曲罷催陳雜技多一
自花竿身手絕那將妙舞說陽阿玉映窗扉靜不開藕花
深處絕塵埃三更露坐清無暑共待蕉園彩鷁回香引輕
颸散玉除丁簾聲徹退朝初馬曹此日承恩處也逐清班

許釣魚煙柳千行宿鳥多虹梁曲曲水螢過新涼却愛中元節萬點荷燈散玉河夜深簾幕捲銀泥十二樓高望欲迷蓮漏滴殘聞動鎖一鈎斜月碧河西輕雲欲傍最高樓重露看垂白玉旒處處紅芳零落盡眾香國裏不曾秋時攀玉柳拂華簪水檻行開玉一函幾日烏龍江上去回看北斗是天南玲瓏朱閣擬三山上駟門依御柳間倦聽月中歌吹杳晨鳧秫罷夜飛還制勝由來仗德威夜郎何物敢輕違河清欲頌慙才盡空羨儒臣賜宴歸講幃遲日記花甎下直歸來一惆然有夢不離香案側侍臣那得日高眠不須惆悵憶江湖身入金門待漏圖中夜擧來仙掌露蕁羹風味得如無花映初陽覆綺寮玉珂雙引望中遙憑君莫作煙波夢會是煙波夢早朝蓀友原詩作於康熙二

十一年六月有云折本崇朝費睿裁乍宜清簟映宮槐樓
西一縷涼颸動又允詞臣進講來自擁青綾夢五湖不知
此景在黃圖金明屋角蘆花雨添箇煙簑穩稱無可想見
禁近雍容之盛楊子琴雪樵詩話按杜紫綸雲川閣詩集有同
梁汾先生登貫華閣觀成侍中三十小像感賦二絕句并
示鄒可遠詩曰此照還同此閣存幾人能唱憶王孫風流
休數鴛鴦社只是傷心皂莢村原注鴛鴦社侍中密室皂莢村其葬處也宛然
側帽影徘徊彈指韶華老淚垂誰取沉香薰小像十年流
落一香眉原注可遠有香眉亭詞
忍草庵在惠山黃公澗之上屏巖枕壑境極幽夐國初顧
梁汾嚴蓀友諸先生於庵中結詩社湯潛庵汪堯峰陳其
年姜西溟咸來會有八景曰中天積翠習坎冷泉九峰晴

雪五湖煙雨戞雲寶鏗響月松濤怪石砥空秋林梵唄諸名人皆有題詠旁有貫華閣高三層爲最勝處昔顧梁汾與成容若嘗以月夜登最高層屏從去梯品泉啜茗清談竟夕閣中舊懸容若小像及所書匾額嘉道間閣有灾匾像俱失余擬規度舊址鳩工修復乃先囑吳君觀岱爲圖將遍徵名流題詠裝褫成卷藏諸閣中爲忍草庵添一段故實也芩泉自著雲薖漫錄

劉石香丈繼增與余爲忘年交著有忍草庵志四卷壬寅春同客都門有偕復貫華之約允作圖爲劵君歸里後余寄書促之曰山虛水深萬籟蕭蕭古無人蹤惟石嶢嶢此古琴銘也僕最愛此數語以爲幽寂清曠之境苟得吾寄滬以化工之筆寫之卧遊其中便可忘世庚寅秋日讀書

山中循黃公澗至忍草庵訪貫華閣遺址步屧於清泉白石之間其時秋雨初晴山翠欲滴蒼苔幽徑黃葉空林杳無人跡惟鐘梵松濤與泉聲響答而已山僧出示君所爲忍草庵志至梁汾容若兩先生月夜登貫華閣談詩悠然想見前輩高致憑弔遺蹟於煙榛露蔓之塲俯仰徘徊不忍遽去壬寅春日與君同客都門追話往事慨然有修復之志君笑謂余先當作圖以贈圖中小閣三層後倚峭壁冠以煙嵐雲壑帶以曲磵疏林樹古苔荒水淸石瘦略仿古琴銘意境閣中二客幅巾道服一執卷一撫琴吾二人結雲霞之契訂風月之交即以是圖爲息壤可也執別以來遂成契闊鷗波千里鴻雪三年循憶前語輒爲悵惘遙想空山弔古野寺尋詩松風塔院之間花雨罏塘之畔荒

泉咽月斷靉靆煙感舊懷人定增眷眷倘於著書之暇驅使煙墨點染丹青留此畫圖爲異日結廬之約百年後繼素流傳當爲忍草庵添一段故實也先生其許我乎故鄉楓葉已丹蒓絲猶碧涼風天末君子如何君答以詩有聊憑畫苑丹青筆共結名山翰墨緣之句乃畫未終幅遽歸道山余輓以聯曰白髮話鄉愁最難忘宣武城南疏燈細雨青山違舊約空想像貫華閣外月色泉聲　同上

忍草庵在惠山第一峰之東林泉幽邃國初諸老恒觴詠於茲焉庵左貫華閣尤擅佳勝納蘭容若侍中嘗與顧梁汾登樓玩月圖詠播於當時厥後經亂勝蹟遂湮近年楊味雲京卿葺治一新作圖徵詠四明二老之閣得阮文達而重輝秀水曝書之亭賴吳和甫以重峙京卿此舉齊契

前修余塡法曲獻仙音用石帚韻曰舊月飛泉素雲栖閣逸爵苔綦尋處水閱書巖境回香界詞仙倘契芳俎認鶴戲黃公碉春星幾來去暗游顧湧滄波正淘文藻憑雅宿觚墨勒移煙舞主客又新圖定遙聞佳士心許晚唱飄鐘向山靈幽贊泠句引松苓詩夢一棹笛橫邁雨同時賦詠斐然佳處茅庵又添一重雅故矣

徐芷升簷醉雜記

余藏有鄒黎眉畫惠山十梅圖卷積書巖紅梅一段作倒垂紅萼兩枝老榦橫斜占幅盈尺題曰奉懷粱汾兼悼容若詩曰庭梅開已落主人歸尚遲靑崖藏古榦碧沼覆低枝何處栽新詠知音悼子期無多半年別對此重離思按黎眉先生諱顯吉爲小山侍郎世父南田嘗謂及門曰我身後汝等宜師黎眉其畫品之高從可知矣顧其筆跡世

稱難覯余寶此卷有年矣適味雲先生重葺貫華閣徵題乃爲摭其本事添一故實故拙作有若論配食讓黎眉之句詞容有靈雖湖山換刼而文字因緣久而益彰矣白栗齋跋

鄒黎眉十梅圖卷　按黎眉先生與顧梁汾嚴秋水爲執友雲門社十子之一

萬軸牙籤通志堂羽林執戟少年郎玉珂搖曳趨朝去染罷天香染御香引重梁汾救漢槎慢聲短調譜紅牙風流便使人追想忘却薰天柄相家天香滿院圖禹上吉爲成容若所繪小像舊藏繆氏藝風堂世有影印本味雲先生方重建錫山貫華閣閣上舊有容若像亂後失去因囑女弟令茀摹此圖以補之丁闇公題成容若天香滿院圖小像　余亦題二絕曰彈指滄桑二百秋依然側帽想風流高齋寂寞賓朋散

玉印猶鐫繡佛樓月露香清夜不寒秋花錦石繞雕闌披圖却憶鴛鴦社金粟詞人掩淚看又題梁汾小像曰龍沙絕塞唱新詞投老江湖鬢已絲寫取維摩金粟影纑塘花雨獨吟時

雲自在庵主人徐積餘先生藏天香滿院圖容若三十二歲像也朱邸崝嶸紅闌彔曲老桂數株柯葉作深黱色花綻如黃雪容若青袍絡緹佇立如有所思貌清癯特甚禹鴻臚之鼎繪（沈南野便佳簃雜錄）按此圖本藏繆氏藝風堂丙寅秋余訪積餘於滬上閱所藏書畫並無此圖南野殆誤記也

如皐冒鶴亭（廣生）於貫華閣圖後題念奴嬌詞一闋序曰貫華閣在惠山忍草庵顧梁汾與納蘭容若去梯玩月處

舊有容若遺像今燬失憶在京師見繆小山京卿薺懸有容若及安麓村像直幅各一小山身後書畫金石散出兩像不知流落何所矣味雲同年近新斯閣既祀梁汾容若於上龕復於下龕祔祀其鄉先生繪圖徵題余家與涇里顧氏四百年通門世誼先嵩少憲副與梁汾祖斐齋先生爲萬歷戊午同年康熙中先巢民徵君遊吳門與梁汾盛有唱和而梁汾從父子方先生與徵君均爲復社眉目南都防亂公揭卽子方首列名南都既破錫山王玉汝與前御史劉光斗通密書納欵子方手刃玉汝舉義兵與江陰典史閻應元合猝於砂山值亂兵與三子點應蒸皆死焉錫人辛氏寒香館稾於子方傳文多貶詞其時文網嚴或不得不爾無錫縣志雖列入忠節於其死事又語焉不詳

甚滅事也子方父子火葬山頭若敖鬼餒久矣味雲既祀梁汾若兼祀子方及其三子梁汾有知當羅拜床下子方名杲明諸生其曾祖即梁汾高祖也梁汾少日與吳門三宋玉峯三徐陽羨陳其年同邑秦對巖嚴藕漁諸人立愼交社又柏鄉相國爲梁汾生平第一知己此外德淸徐司空靜園南海梁庶常藥亭皆由梁汾汲引同邑後輩則有杜雲川王傅巖廣生孤陋復善忘何能更僕悉數希味雲留意及之一一結香火緣傳之千秋定當不朽 按子方爲梁汾從父未便祔祀當於庵中別室祀之

余初未知有忍草庵也淮海後人導余往峰迴路轉澗曲山深乃悟與塵世隔絕庵居巖腹由院中仰望松栝千株蒼翠欲滴故有中天積翠之目斯游之始於舊觀猶十得

一二焉惜貫華閣已燬矣迨光緒庚寅與味雲諸子游憩於此詩酒留連是爲第二游余詩中所云詞緣來世留影空堂緬想前輩風流於乘月去梯故事尤低徊慨歎不置洎乎宣統初元予挈兒子祖庚三游茲庵則所謂中天積翠者半已芟夷殿宇亦非復前狀益用喟然梁汾容若二先生有靈必有人提倡風雅重建此閣者余將拭目俟之

節錄王芙伯三游忍草庵記

別來哀時傷逝書不盡懷度故人於我同此悵悵也不佞去年大病不死對於良忠靖先生祠堂今日始得觀成了吾心願舊臘十一爲忠靖先生成仁之日第一次在祠設祭不佞偕寒厓疑始預茲嘉會有坐無車公之歎十五日復約味雲先生過祠會飲擕流水音卷子相與欣賞味雲

驚歎欲絕推爲瓠廬老人生平第一傑作希望貫華閣圖與到命筆爲名山壯色并可挾以驕我然終慮不能與我爭勝也不佞以詩爲證錄塵一笑曠代鍾情晉卿不作王晉卿有以破墨寫邢和璞與房琯論前生圖公得毋有舍我其誰之慼乎天下洶洶京師已成餓鬼世界寒食西城不堪回首霜寒願少病少惱廉南湖與吳觀岱書

日前瞻禮忠靖祠堂讀瓠廬老人畫卷同參玉版禪令我肺肝欲熱齒頰猶馨也比奉手教并題貫華閣二律古抱今情芬芳悱惻煙霞不老山水有靈異日把臂入林當與閣下過草庵登高閣煮茗淸談續去梯玩月故事也閣址已經營度瓠廬畫本亦將脫稿原擬俟弟回里落成後再徵題詠而名流投贈已盈篋衍樊山之賦閻公之記傳誦

一時合諸佳什鼎足而三矣天涯歲晚鼓角迎年如此烽煙安得有好懷抱也 苓泉覆 南湖書

瓠廬老人貫華閣畫卷經營慘澹歷三年而始成聞其作畫之先時棹輕舟或攜筇屐遍歷湖濱山麓風月煙雲之趣滂沛於胸中然後伸紙落筆一展卷而惠山全景如在目前是此老平生傳作但與拙記後幅意境畧有不同記作於兩年前業已上石不復改矣閣外須多植松竹梧柳泉上種梅數十株軒後懸一楄取白石詞意題曰舊時月色闕合玩月故事並為綠萼仙人寫照後山多種楓柏秋冬間萬樹丹黃如一片珊瑚海八景之外更添一景曰秋山紅葉雪裯梅香亦勝事也 苓泉與許 仁安書

重修貫華閣賦

樊增祥 樊山

側望第一山俯臨第二泉傑閣三重飛翠流丹其始也俊及廚顧方袍幅巾之所游息其繼也蔓草荒煙漠然徒見山高而水寒蓋盛於國初諸老而陵替於嘉道之間自咸同霜燹之餘夷爲瓦礫廢爲樵蘇又百許年矣味雲楊子振奇之士骨相嶔崎詞章清綺披仙霧而豹澤凌青霞而鵠舉遷續談書固承彪旨蓋先德用舟公景昔賢循故趾欲復還舊觀而志未逮也乙丑之冬吳越弭兵君還鄉里將試修鳳之手先成畫象之記蓋地以人重名從實起梁汾之客以納蘭侍中爲上賓而斯閣之傳以踏月去梯爲韻事也先是梁汾北征名滿藝林相公設醴公子盍簪忘年結雲霞之契倚聲同笙磬之音人之相知貴相知心此

也以吳季子之難而不嫌於屈膝彼也贖甯古塔之辠而罔悋乎千金是則元獻之於君玉不如其誼之篤令狐之於玉溪不如其交之深今試觀楚頌亭諸集甯有舵工不愼之誰與貴官行馬之吟哉旣而粱汾歸田容若扈蹕駐輦金陵掛帆無錫嘉賓鱗萃勝流雲集如侍中者系出曼珠温同荊玉風貌似吳人交游半江浙含冰雪之聰明帶煙波之氣息簪花落筆斜行之玉版十三飲水能歌垂髮之女郎十七固自以爲生公侯之家不若入蘇杭之籍也於斯時也風清月白林密花稀話今情與昔歎商酒約與詩題慮雜賓之入座爰登高而去梯大夫何需乎便了涪皤安事乎跛奚爛糜防太邱之兒窺墉阻山公之妻有琴以代枕有月以代燭有茶以當酒有果以當粥縹煙屈戾

助一夕之清談靑素嬋娟媚兩賢之幽獨今宵燈下聽殘鄰寺之鐘聲明日城中寫偏草堂之詩幅此高閣之所以不朽而勝游之難於再續也味雲風雅主盟鄉邦懷古低徊忍草之庵出入松苓之隖手栽拱把之樹已隨松蓋摛雲雛年灑掃之僧或共梅花下火叶於是有志竟成程功以序築之登登於時處處三層剏業依然宏景之松風七寶玲瓏深費吳剛之玉斧所惜者榜書金字早化池灰玉貎蘭綠並淪黃土或者九里之牌尙待重書而雙笠之圖猶煩再補乎登閣而望其南則太湖層巒疊嶂左右映帶若箕張而翼舒有時煙雨空濛不知山色之有無也其北則九峯如屛如甑如獅如龍白雲湧出釜氣蓬蓬不知其幾千萬重也冷泉習坎流其西蔓雲竇鐸鳴其東泉之外

皆石之外皆松泉洗中流月松鳴日夜風風瀦月波與三百年前梁汾容若登高去梯時無異同也風月常新湖山故在何必古人正賴我輩昔者來踐書巖舊約何取曇華一現之孫今也重摹側帽詞人定煩香茗多才之妹謂令茀女士八十叟樊增祥撰

貫華閣圖序

丁傳靖闇公

味雲先生重建貫華閣落成既自爲記復屬畫師吳君爲之圖則見黃公澗上忍草庵前五湖帶環九峯屏列指虎邱之孤塔影入秋煙聽蟹眼之名泉聲如寒玉長松十里白雲自香叢竹萬竿蒼雨欲滴巋然高閣矗立其間丹檐三層碧廊幾曲上界橫參列井都落酒杯四圍近水遙山如懸畫幛閣之上有二客焉深衣幅巾自饒道氣鑪香茗

碗不着纖埃撫琴者粹乎其容想彈到廻風白雪執卷者悠然有會知誦完內景黃庭時則山空人靜露白風淸乃有此塵外異人披襟晤對不獨蓉湖一水將有出聽之魚龍抑且芝闕三霄定有來翔之鸞鶴惟是之二客者未有主名其寫容若梁汾去梯玩月之往迹乎抑寫味雲偕客登高懷古之近事乎如前之說一則華胄珥貂一則閒身如鶴結孟韓之深契似莊惠之尋蹤踐諾十年漢槎已返相思一客秋水不來（嚴秋水亦與容若至契）賓主談深剪燭盡今宵風月人天緣重轉輪爲來世兒孫（相傳容若轉世爲梁汾之孫）則斯圖也如前人所繪張范分擕蘇李泣別之名蹟矣如後之說則味雲京洛歸來鄉山遊眺幸茲勝境頓復舊觀於是嘯侶命儔蒼茫憑弔憐側帽綺語竟擢錦瑟年華誦彈指新

詞不愧黨碑門戶梁汾爲涇陽之曾孫古槐疏冷深水亭久付荒煙衰柳淒迷積書巖難尋故宅梁汾有積書巖集賴有此閣常峙名山則斯圖也如前人所繪輞川村舍龍眠山莊之勝景矣是知畫者初無成見讀者宜有會心必具等等之觀始見如如之相今月古月本來同此高寒前賢後賢不妨任人領會若論家法依然墨井風流永鎮山門抵得竹鑪卷子

乙丑冬日丹徒丁傳靖序

重修貫華閣記

楊壽枏 味雲

出惠山寺循繡嶂街而東一里許抵錫山麓折而南緣苔徑羊腸而上越黃公澗經蟹眼泉又東行二百餘步右轉而得平坡上有梵宇屏巖而枕壑曰忍草庵蓋蒼雪法師講經之舍而梁汾居士結社之場也地當巖坳境絕幽邃

游屐罕至而維枯禪野衲瓶鉢之所栖止騷人墨客命儔嘯詠於其間庵右有閣是爲貫華翼然三層高出松頂憑檻而望則九峰晴翠五湖煙雨如在几席而百里外之虎邱塔影亦隱現於殘霞夕照之間昔納蘭容若來游嘗與梁汾居士月夜登最高層屏從去梯汲松苓泉煮山茗清談竟夕容若親書閣額並留小像而去閣燬後像額俱失二百年來山阿寂寥清風雅藻湮沒於寒煙衰草之區余少時屢至庵中憑弔故跡慨然有修復之志出山以後抗走風塵未酬夙願而松濤鐘梵月色泉聲未嘗不懸之夢想中也乙丑冬始規度遺址鳩工重建乃先屬吳君觀岱寫圖小閣三重長廊四繞閣外煙嵐萬疊雲壑窈深所謂中天積翠也古松十餘株翠葢虬枝臨風謖謖所謂響月

松濤也帶以曲磵清泉綴以疎林怪石閣中二客幅巾道服一執卷一撫琴旁列棋枰茗碗香爐禪榻諸物薜蘿幽深外有白雲吾將終老乎其間矣圖成而賦工三月而工竣於第三層設龕祀粱汾容若兩居士及鄉先生若干人皆嘗結社讀書留翰墨緣於閣中者也

重修貫華閣落成徵詩啟　孫道毅寒厓

若夫綺膢五里少時游釣之鄉紺宇一叢先達詠觴所在則有蒼松夾道循繡嶂街迤邐而東畫棟三層出忍草庵扶搖而上傑然一閣顏曰貫華蓋粱汾舍人往歲之題襟楞伽山人當年爲書額者也蕭條異代刼火無餘零落荒邱清塵誰嗣碧山日暮重游空覓舊題黃澗雲封過客彌思公子味雲先生脫略冠纓流連山澤深心託之毫素遐

想契於情親修竹吾廬楹書萬卷伽藍精舍秋燈一龕獨捐膏秣之金再結桑榆之社爲留靜室賡佳詠於元英方干詩貫華留靜室共散仙花紀豐碑於眞逸陶宏景瘞法師碑有貫華散花之句去梯玩月黃樓此樂三百年側帽投壺玄鶴始歸一千歲誦敬禮之敘語玅絕時人披道子之畫圖悠然古會齋魚粥鼓儼容佛子泮梁石色泉聲刼異尙書絲竹味雲先生修復此閣者純乎承先人之遺志疇夙願於平生企前輩之高蹤存故山之勝概城郭猶是歔歌未亡笠屐偕來續三唐之韻事巖阿追賞尋十老之風流是知翰墨有緣遂亦香花生色干戈滿地故應有左思招隱之詩星斗捫天何恨無謝朓驚人之句恭陳短引幸賜嘉章廉泉孫道毅同啟

貫華香火記　楊壽枬味雲

翠壁嶙峋丹邱窅窱中有高閣是曰貫華顧梁汾成容若去梯玩月處也其地則虎溪鶴觀其人則石帚玉田逸想淩霞清談霏雪蘿月窺幕燭花不紅松風入簾茶煙自碧投壺側帽主客成圖以一夕之淸遊爲千秋之韻事雖復華年水逝勝蹟灰飛而紅牙按玉茗之詞彩筆寫金荃之句從劫兩闌風之後證冰牀雪被之禪二語用楊伯夔詩句同人所以寄荃宰之思而發檀施之願也今者紺榭一新丹甍重麗輞川之遊得裴王而著松陵之勝因皮陸而傳惟彼兩賢允宜尸祝蓮葉雙座分占梵王之宮梅花一龕合作詩仙之宅伴以青松翠竹薦之碧杜紅蘅至若騷人韻士憑弔流連或借讀精廬或留題素壁或採摭軼事或纂輯舊聞既留翰墨之因緣合受煙霞之供養諏諸衆論僉以爲

宜閣既成乃於第三層設兩龕上龕祀梁汾容若兩居士
下龕祔祀鄉先生若干人俾山僧司其香火名山無恙詞
客有靈庶幾雲中仙馭同笙鶴以翔遊月下神弦共鐘魚
而響答旣爲之記復題姓氏於後以備考覽焉後學楊壽
枏記許國鳳編輯小傳

專祀

顧先生貞觀小傳見前

納蘭先生性德小傳見前

祔祀十九人

杜先生詔字紫綸號雲川工詩並善塡詞康熙四十一年
舉人四十二年欽賜進士改翰林院庶吉士尋
乞假歸以詩倡導後進著有雲川閣
集讀書閣中有題成容若小像詩

高先生躍龍字若黎康熙五十二年順天鄉試南元浙江
黃巖縣知縣有政聲著有若黎詩文鈔讀

書閣
中

潘先生果字師仲號讓卿雍正元年進士辰州府永順同
知深於易並工詩文著有讓卿詩稿　讀書閣
中

陸先生慶元字龍光號卷阿雍正癸卯恩科順天舉人官
至盛京戶部員外郎與杜雲川潘讓卿分箋
鬥韻爲九峯六子之一著有不負草堂
詩稿度遼詩集等行於世　讀書閣中

邵先生曾訓字衷彝工詩爲名諸生好登覽遇佳山水輒
有終焉之志著颫園詩鈔　有宿貫華閣觀
采蕈
詩

黃先生邛字堯咨家貧力學註釋諸經尤深於易
著有錫金識小錄紀梁汾容若軼事

張先生大業布衣工詩　有
題貫華閣詩

朱先生克敏字若愚號槲香布衣讀書苦吟詩似郊
島著有槲香詩鈔　有宿貫華閣詩

楊先生度汪字若千雍正六年拔貢生乾隆元年中博學
鴻詞科授翰林院庶吉士尋改江西德興縣
知縣著有雲逗樓詩文集　有
登貫華閣題成容若遺照詩

顧先生豫字朋簪諸生工詩
有題貫華閣詩

顧先生光旭字華陽號晴沙又號響泉工詩又精書法乾隆十七年進士授戶部主事官至四川按察使罷歸主東林講席著有響泉集梁溪詩鈔讀書閣中有訪貫華閣舊讀書處詩

秦先生瀛字凌滄號小峴乾隆三十九年順天舉人四十一年召試授內閣中書官至刑部右侍郎著有小峴山人詩文集
有題貫華閣詩

孫先生爾準字平叔嘉慶十年進士授翰林院編修官至閩浙總督贈太子太師諡文靖著有泰雲堂集讀書閣中有忍草庵尋舊讀書處詩

楊先生紹基字桂巖貢生蘇州府學教授贈光祿大夫著有況梅齋詩集　從孫平叔讀書閣中有和平叔大子過忍草庵詩

楊先生夔生字伯夔芳燦子官薊州知州富於才藻能傳家學尤長塡詞著有眞松閣集匏園掌錄
有登貫華閣詩

趙先生函字艮甫號香巖附貢生著有樂潛堂集　有題貫華閣詩

唐先生汝翼字純甫道光十二年舉人候選知縣博學工
文著述甚富有忍草庵懷顧梁汾先生詞

楊先生宗濟字用舟貢生官溧陽縣訓導贈資政大夫度
支部左參議樸學篤行工詩著有修竹吾廬
詩文集 紀貫華閣軼事
又有弔顧益壽殤冢詩

劉先生繼增字石香號寄漚工詞章善書畫不事科舉幕
游南北名公卿爭禮之著有寄漚詩文鈔忍
草庵志 纂貫華閣舊聞
撰顧梁汾成容若小傳

右祔祀十九人或借讀精廬或留題素壁或採摭軼事
或纂述舊聞皆與貫華閣結香火緣者也至若香界布
施雲門結社聲華文藻輝映一時然或爲梁汾尊行或
爲梁汾執友未可屈諸祔祀之列當於庵中設龕別祀
以志先河國鳳謹識

募建忍草庵彈指堂啟

嚴毓芬 堯欽

爽氣朝來出門西笑遊屐幾兩瘦筇一枝蓋嘗於葉落花

開蛩初蜨晚游忍草庵焉桑榆墅廢裴回觴詠之場梵唄聲傳點綴荒寒之景山靈識我舊地重來茗戰裁張綮譚瘉洽山僧曰庵中舊有貫華閣彈指堂爲粱汾居士與楞伽山人遊憩之所也黃鶴一去仙人不還白雲孤飛芳草已歇積書巖在淒涼側帽之圖繡佛樓空惆悵懸黎之印遺芬猶扇餘燼久灰過其地者莫不憮然於勝國之滄桑含元之風草味雲楊先生乃分廉泉一勺建高閣三層仍額貫華用光香界而所謂彈指堂者瓴甋無存蓬蒿彌望近維摩之十笏尙少檀施貸蘇季之百錢殊嫌囊澀關卿何事聞落葉而傷懷知己長辭過空山而雪涕此聯即用本事設復星霜再閱丹臒未新將何以扇被流風發皇勝地一樽之蜜合萬花而始香一僧之衣聚百衲而方就所願梓鄉

碩望藝林文人布金祇陀之園發錢尉遲之岸浮屠七級當指日以合尖金粟千章信先芬之未泆

貫華叢錄終

舅父楊味雲先生煙霞懷抱山水襟靈雖在京闕不忘鄉社愛忍草庵貫華閣之幽勝慕梁汾容若兩先生之遺韻規度舊址鳩工重建屬吳君觀岱寫圖而自爲之記復蒐集軼事輯爲貫華叢錄而命聰襄編校之役名山韻事得丹青翰墨而常傳矣先生他日角巾歸里憑眺湖山聰得扶籃輿撰藜杖從游於丹崖翠嶂之間豈不幸歟乙丑冬日甥王祖聰謹識